D0109739

La Valise d'Hana

Catalogage avant publication de la Bibliothèque nationale du Canada

Levine, Karen, 1955-

La Valise d'Hana

Traduction de: *Hana's Suitcase.*
Pour les jeunes de 11 ans et plus.

ISBN 2-89428-638-4

1. Brady, Hana – Ouvrages pour la jeunesse. 2. Terezin (République tchèque : Camp de concentration) – Ouvrages pour la jeunesse. 3. Holocauste, 1939-1945 – Étude et enseignement – Japon. 4. Enfants juifs pendant l'Holocauste – République tchèque – Biographies – Ouvrages pour la jeunesse. 5. Holocauste, 1939-1945 – République tchèque – Biographies – Ouvrages pour la jeunesse. I. Titre.

DS135.C97B7314 2003   j940.53'18'092   C2003-940455-2

Traduction : Marie-Andrée Clermont
Maquette de couverture : Martel en-tête
Mise en pages : Martel en-tête

Les Éditions Hurtubise HMH bénéficient de l'aide d'une subvention à la traduction du Conseil des Arts du Canada.

Les Éditions Hurtubise HMH bénéficient du soutien financier des institutions suivantes pour leurs activités d'édition :
– Conseil des Arts du Canada ;
– Gouvernement du Canada par l'entremise du Programme d'aide au développement de l'industrie de l'édition (PADIÉ) ;
– Société de développement des entreprises culturelles au Québec (SODEC) ;
– Gouvernement du Québec par l'entremise du programme de crédit d'impôt pour l'édition de livres.

Traduction de *Hana's Suitcase,*
Édition originale publiée par Second Story Press
720, Bathurst Street, Suite 301
Toronto ON M5S 2R4

Copyright © 2002 Texte de Karen Levine publié avec la permission de Second Story Press
Copyright © 2003 Éditions Hurtubise HMH ltée pour l'édition en langue française au Canada
Copyright © Photographies George Brady et Second Story Press, excepté document p. 98 © Terezin Ghetto Museum et photographie p. 137 © The Chugoku Newspaper, Japon

Éditions Hurtubise HMH ltée
1815, avenue De Lorimier
Montréal QC H2K 3W6
Téléphone : (514) 523-1523
Télécopieur : (514) 523-9969
www.hurtubisehmh.com

ISBN 2-89428-638-4

Dépôt légal : 2ᵉ trimestre 2003
Bibliothèque nationale du Québec
Bibliothèque nationale du Canada

Imprimé au Canada

La Valise d'Hana

de KAREN LEVINE

traduction de Marie-Andrée Clermont

UNE HISTOIRE VRAIE

KAREN LEVINE

Karen Levine compte parmi les réalisateurs les plus respectés et les plus reconnus de la radio. Elle a remporté à deux reprises le prestigieux Peabody Award (l'Oscar du journalisme), pour ses documentaires *Children of the Holocaust* (1989) et *A Murder in the Neighbourhood* (2002).

Née à Ottawa, elle a œuvré à la CBC pendant vingt-trois ans, tant comme conceptrice d'émissions que comme réalisatrice et productrice. Mentionnons les émissions *As It Happens, First Person Singular* et *Aging Dangerously...* qui ont gardé l'antenne pendant de nombreuses années.

D'autres récompenses ont également souligné le talent avec lequel Madame Levine utilise les communications pour attirer l'attention sur les questions de droits humains et de justice sociale.

La Valise d'Hana est son premier livre. Il est tiré d'un documentaire radio intitulé *Hana's Suitcase*, qui a gagné la Gold World Medal au New York International Radio Festival.

Karen Levine réside à Toronto, avec Michael, son compagnon de vie, et son fils, Gabriel.

À mes parents,
Helen et Gil Levine

Introduction

La Valise d'Hana raconte une histoire vraie qui se déroule sur trois continents, pendant près de soixante-dix ans. Elle rassemble les expériences vécues par une fillette et sa famille en Tchécoslovaquie, durant les années 1930 et 1940, l'action entreprise par une jeune femme et un groupe d'enfants de Tokyo (Japon) de notre époque, ainsi qu'un événement récent dans la vie d'un homme de Toronto.

Entre 1939 et 1945, le monde était en guerre. Le dictateur nazi Adolf Hitler souhaitait la domination de l'Allemagne sur le monde. Au centre de sa vision : la brutale élimination du peuple juif de la surface de la terre. Pour se débarrasser de ceux qu'il considérait comme ses ennemis, il mit sur pied, à travers l'Europe, des douzaines de camps de prisonniers appelés camps de concentration. Des femmes, des hommes et des enfants juifs de presque tous les pays du continent y furent déportés. Arrachés à leurs foyers, ils étaient envoyés dans ces lieux d'internement où ils enduraient de terribles souffrances. Un grand nombre d'entre eux y sont morts de faim ou des suites de maladies. La plupart ont été assassinés. Dans les camps de la mort et ailleurs – là où les complices d'Hitler menaient à bien son plan monstrueux –, six millions de Juifs ont été tués, dont un million et demi d'enfants.

En 1945, lorsque la guerre fut terminée, le monde entier découvrit les atrocités commises dans les camps de concentration. Depuis ce temps, les gens essaient de comprendre davantage ce que l'on appelle aujourd'hui *l'Holocauste*, le pire exemple de destruction méthodique de masse – ou génocide – de l'histoire humaine. Comment cela s'est-il produit ? Et comment faire en sorte que cela n'arrive plus jamais ?

Au Japon, pays allié de l'Allemagne nazie pendant la Seconde Guerre mondiale, l'intérêt porté à l'histoire de l'Holocauste est relativement récent. Un donateur japonais anonyme, désireux de promouvoir plus de tolérance et de compréhension entre les peuples, jugea important que les jeunes du Japon en sachent davantage sur cet épisode de l'histoire du monde. Seul et sans aide, ce donateur fonda le Centre de ressources pour l'étude de l'Holocauste de Tokyo, qui se consacre entièrement à cet objectif.

Un forum pour les enfants traitant de l'Holocauste eut lieu à Tokyo en 1999. À cette occasion, deux cents écoliers de la région rencontrèrent Yaffa Eliach, une survivante des camps de la mort, qui leur raconta comment presque tous les Juifs de son village, les jeunes comme les vieux, avaient été assassinés par les nazis. À la fin de son intervention, elle rappela à son auditoire que les enfants ont le pouvoir de « créer la paix pour l'avenir ». Une douzaine de jeunes participants japonais eurent alors à cœur de relever ce défi et fondèrent un groupe appelé *les Petites Ailes*. Depuis, les membres des Petites Ailes, âgés entre huit et dix-huit ans, se rencontrent tous les mois. Ils publient un bulletin, participent aux activités du Centre de ressources et cherchent à inciter d'autres jeunes Japonais à connaître l'histoire de l'Holocauste. Ils accomplissent ce travail sous la gouverne de la directrice du Centre, Fumiko Ishioka.

La valise – la valise d'Hana – fut la clé du succès de leur mission. Ils y découvrirent un récit poignant de tristesse et de joie, un rappel de l'impitoyable brutalité du passé, mais aussi un signe d'espoir pour l'avenir.

Tokyo (Japon),
hiver 2000

C'est une valise bien ordinaire, en vérité, un peu abîmée sur les bords, mais en bonne condition.

Elle est de couleur brune et assez grande. On pourrait y loger pas mal de choses, des vêtements pour un long voyage, peut-être. Des livres, des jeux, des trésors, des jouets. Mais pour l'instant, il n'y a rien à l'intérieur.

Chaque jour, des enfants se rendent dans un petit musée de Tokyo pour l'examiner. À travers la vitrine où elle est exposée, on peut lire ce qui est écrit à la peinture blanche sur le dessus de la valise. Un nom de fille : Hana Brady. Une date de naissance : 16 mai 1931. Et un autre mot : *Waisenkind*, qui signifie orpheline en allemand.

Les jeunes Japonais apprennent que cette valise provient du camp de concentration d'Auschwitz, où des millions de gens ont souffert et sont morts pendant la Seconde Guerre mondiale, entre 1939 et 1945. Mais qui était donc Hana Brady ? D'où venait-elle ? Vers quelle destination voyageait-elle ?

*La valise d'Hana. Hana écrivait son nom avec un seul « n », mais les Allemands l'épelaient **Hanna,** comme on le voit sur la valise.*

Qu'avait-elle mis dans sa valise ? Comment était-elle devenue orpheline ? Quel genre de personne était-elle ? Et que lui était-il arrivé ?

Les enfants ont des questions plein la tête, tout comme la directrice du musée, Fumiko Ishioka, une jeune femme élancée aux longs cheveux noirs.

Avec précaution, Fumiko et les enfants sortent la valise de la vitrine ; ils l'ouvrent et fouillent les poches latérales. Peut-être Hana y a-t-elle laissé quelque objet pouvant servir d'indice ? Rien. Ils regardent sous la doublure en papier à pois. Pas la moindre piste là non plus.

Fumiko promet aux jeunes de faire l'impossible pour se renseigner sur la propriétaire de la valise et résoudre le mystère. Et pendant l'année qui suit, elle devient détective et parcourt le monde, à la recherche d'indices permettant de comprendre l'histoire d'Hana Brady.

Nove Mesto, Tchécoslovaquie, années 1930

Dans un paysage de collines, au cœur de ce qui était à l'époque la Tchécoslovaquie, plus précisément dans la province de Moravie, s'étendait la ville de Nove Mesto. Pas grande, mais bien connue et très fréquentée, surtout l'hiver. Les gens venaient des quatre coins du pays pour y pratiquer le ski de randonnée, participer à des courses,

La ville de Nove Mesto et ses environs.

explorer des pistes nouvelles et patiner sur les étangs gelés. En été, on s'adonnait à la natation, à la voile, à la pêche et au camping.

Autrefois, cette agglomération de quatre mille habitants était renommée pour ses verreries. Durant les années 1930, cependant, les gens de Nove Mesto travaillaient dans les forêts et dans de petits ateliers de fabrication de skis. Dans la rue principale se dressait une grande bâtisse blanche de deux étages, surmontée d'un grenier de deux étages, lui aussi. Au sous-sol, un passage secret conduisait à une église construite sur la grande place de la ville. Dans les temps anciens, lorsque Nove Mesto était assiégée, les soldats y emmagasinaient des vivres et des provisions pour la population.

Le rez-de-chaussée abritait le magasin général. On y trouvait à peu près de tout – boutons, confitures, huile à lampe et râteaux, clochettes de traîneau, meules pour affûter les couteaux, vaisselle, papier, plumes et bonbons. À l'étage logeait la famille Brady : Karel, le papa, Marketa, la maman, Hana et son grand frère George.

Karel, le père, travaillait six jours par semaine au magasin. En plus, c'était un sportif – presque tout Nove Mesto savait qu'il adorait le soccer, le ski et la gymnastique. C'était aussi un comédien amateur qui possédait une voix si forte qu'elle portait d'un bout à l'autre du terrain de jeu. À cause de sa voix, on l'invitait toujours à commenter au mégaphone les courses de ski de randonnée, pour que tous puissent suivre l'action. Il était également pompier bénévole et, avec d'autres citoyens de la

Hana costumée pour un spectacle de son école.

ville, il conduisait le camion d'incendie pour porter secours en cas d'urgence.

Des artistes de tous les genres étaient accueillis chez les Brady – musiciens, peintres et poètes, sculpteurs et acteurs. Un repas chaud les attendait lorsqu'ils avaient faim, cuisiné par Boshka, la gouvernante et cuisinière de la famille. Et leurs talents bénéficiaient d'un auditoire vivement intéressé qui, bien sûr, incluait deux enfants espiègles : Hana et George. George était parfois invité à jouer du violon ; et Hana ne se faisait pas prier pour démontrer à qui voulait les entendre ses talents de pianiste. Il y avait au milieu du salon un gramophone qu'il fallait actionner à la main. Hana y faisait jouer inlassablement sa chanson préférée, *J'ai neuf canaris*.

Marketa, la mère, était une hôtesse chaleureuse et généreuse, qui avait le sens de l'humour et un rire tonitruant. Elle travaillait au magasin six jours par semaine, elle aussi, et bien des gens n'y venaient que pour entendre ses blagues et son badinage. Elle avait une profonde compassion pour les pauvres qui vivaient dans les faubourgs de Nove Mesto. Une fois par semaine, elle préparait un balluchon de nourriture et de vêtements qu'Hana allait livrer aux nécessiteux. La fillette était très fière de sa mission et demandait constamment à sa mère de préparer de nouveaux paquets.

Hana aidait également au magasin. Depuis leur plus tendre enfance, le frère et la sœur devaient s'assurer que les tablettes étaient toujours bien garnies, propres et en ordre. Ils avaient appris à trancher la levure, à tailler de petits morceaux dans le pain de sucre, à peser les épices et les aromates, et à fabriquer des cornets en papier que l'on remplissait de bonbons et que l'on vendait comme gâteries. Marketa remarquait parfois la disparition de quelques cornets de bonbons. Mais jamais Hana ne dénonçait George, ni George sa sœur.

*Nove Mesto. La famille Brady vivait à l'étage
de la quatrième bâtisse à partir de la gauche.
Leur magasin occupait le rez-de-chaussée.*

Des chats circulaient continuellement dans le magasin, occupés à temps plein à attraper les souris. Mais un jour, pour faire plaisir aux enfants, maman et papa commandèrent de petits chatons angoras comme animaux de compagnie. Deux petites boules de poils soyeuses arrivèrent alors par la poste, dans une boîte percée de trous. Les premiers jours, Sylva, le lévrier de la famille, tourna autour d'eux en les flairant avec méfiance. Mais Micki et Mourek, ainsi qu'Hana les avait baptisés, furent bientôt acceptés de tous les membres de la famille.

À l'école publique où ils étudiaient, Hana et George étaient des élèves comme les autres, qui faisaient souvent des sottises et avaient leur lot d'ennuis et de succès. Une seule chose les différenciait des autres : les Brady étaient juifs. La famille n'était pas religieuse, mais Karel et Marketa tenaient à ce que les enfants connaissent leur patrimoine. Ainsi, une fois par semaine, pendant que leurs camarades allaient à l'église, Hana et George rencontraient un professeur particulier qui leur enseignait le sens des fêtes juives et l'histoire du judaïsme.

Hana et George étaient les seuls enfants des quelques familles juives de Nove Mesto. Dans leurs premières années de vie, personne ne le remarquait vraiment, ou ne faisait cas de cette différence. Or, cette identité juive allait bientôt devenir l'élément le plus important de leur vie.

Tokyo, hiver 2000

À l'autre bout du monde et plus d'un demi-siècle plus tard, Fumiko Ishioka, installée dans son bureau, se rappelait comment la valise était parvenue jusqu'à elle.

En 1998, elle avait obtenu un emploi comme coordonnatrice d'un petit musée, appelé le Centre de l'Holocauste de Tokyo. La vocation de ce musée était de sensibiliser les jeunes Japonais à l'Holocauste. Lors d'un congrès en Israël, Fumiko avait rencontré quelques survivants, des gens qui avaient traversé les horreurs des camps de concentration et qui s'en étaient sortis. Elle était ébahie par l'optimisme et la joie de vivre qu'ils manifestaient, en dépit de tout ce qu'ils avaient subi. Souvent, lorsque des éléments de sa propre vie la rendaient mélancolique, Fumiko repensait à ces survivants, à leur sagesse, à leur force de caractère. Ils avaient tant à lui apprendre.

Fumiko voulait que les jeunes de son pays tirent eux aussi des leçons de l'Holocauste. D'ailleurs, c'était justement la tâche qu'on lui avait confiée.

Des enfants sont réunis au Centre et Fumiko
leur parle de l'Holocauste.

Une tâche pas facile. Comment s'y prendrait-elle
pour aider les jeunes Japonais à comprendre l'histoire déchirante qu'avaient vécue des millions
d'enfants juifs sur un continent lointain, plus de
cinquante ans auparavant ?

Le meilleur point de départ, décida-t-elle, serait
de montrer des objets concrets que les visiteurs
pourraient voir et toucher. Elle écrivit donc à des
musées juifs et consacrés à l'Holocauste en Pologne,
en Allemagne, aux États-Unis et en Israël, partout
dans le monde, les priant de lui prêter des artefacts
ayant appartenu à des enfants. Elle afficha sa
requête sur Internet. Elle s'adressa à toutes les personnes qui, à son avis, pouvaient l'aider dans sa

démarche. Fumiko était à la recherche d'une paire de souliers et d'une valise.

De partout lui parvinrent des réponses négatives. On objectait que des objets conservés avec autant de soin étaient trop précieux pour être envoyés à un musée aussi petit, et aussi lointain. Fumiko ne savait trop comment poursuivre sa mission. Mais ce n'était pas dans sa nature d'abandonner la partie aussi facilement. Bien au contraire : plus elle essuyait de rebuffades, plus elle était déterminée.

Cet automne-là, Fumiko se rendit en Pologne, pays où un grand nombre de camps de concentration avaient été construits. Là, sur le site du plus notoire d'entre eux, elle visita le Musée d'Auschwitz.

Le Centre de ressources pour l'étude de l'Holocauste de Tokyo, au Japon.

Fumiko fit des pieds et des mains pour obtenir une rencontre avec la directrice adjointe du musée, qui finit par lui accorder cinq minutes. Fumiko lui expliqua ce qu'elle désirait et sortit du bureau avec la promesse que sa requête serait étudiée.

Quelques mois plus tard, un paquet lui fut livré, provenant du Musée d'Auschwitz : il contenait une chaussette, un soulier et un chandail d'enfant, une bonbonne de zyklon B (un gaz toxique), ainsi qu'une valise : la valise d'Hana.

Fumiko Ishioka et une jeune visiteuse du Centre.

Nove Mesto, 1938

Hana avait les cheveux blonds, les yeux bleus et un très joli visage tout rond. Elle possédait une grande force physique. De temps en temps, elle provoquait une bataille avec George, juste pour démontrer la vigueur de ses muscles. Bien que son frère fût de trois années son aîné, elle l'emportait parfois. Mais la plupart du temps, les deux enfants s'amusaient bien ensemble.

En été, dans le ruisseau derrière leur maison, ils jouaient aux marins. Embarqués dans une vieille baignoire en bois, ils voguaient sur l'eau jusqu'à ce que l'un ou l'autre enlevât le bouchon, au fond, et qu'ils fissent naufrage avec des rires et des éclaboussements joyeux. Dans le pré qui leur servait de jardin, il y avait trois balançoires : une pour les tout-petits, une autre à deux places et une troisième suspendue à un arbre géant qui surplombait le ruisseau. Les enfants du voisinage s'y rassemblaient parfois pour des compétitions. Qui pouvait s'envoler le plus haut ? Ou sauter le plus loin ? Des jeux auxquels Hana gagnait souvent.

Hana adorait jouer dehors quand elle était petite.

Les enfants construisant un fort en neige.

Sur sa trottinette rouge, la fillette dévalait les longs corridors du logement familial, et George en faisait autant sur sa trottinette bleue. L'hiver, le frère et la sœur construisaient des forts de neige et faisaient du ski. Mais Hana adorait par-dessus tout patiner, et elle s'acharnait à perfectionner ses pirouettes sur l'étang glacé de Nove Mesto. Parfois, lorsqu'elle revêtait son costume spécial – rouge avec des manches bordées de fourrure blanche –, elle jouait les princesses et dansait avec passion. Ses parents, ses amis et son frère applaudissaient sa performance et son rêve.

Parce que ses parents travaillaient six jours par semaine, le dimanche matin était un moment privilégié chez les Brady. George et Hana se blottissaient sous l'édredon moelleux du lit de leurs parents. Les dimanches après-midi d'été, ils s'entassaient dans la voiture et filaient vers le fort ou le château le plus proche pour y pique-niquer, parfois accompagnés par oncle Ludvik et tante Hedda, qui vivaient aussi à Nove Mesto. En hiver, ils sillonnaient la

Hana vêtue du costume rouge
de patinage qu'elle aimait tant.

Hana et George avaient appris à skier
dès leur plus jeune âge.

campagne en traîneau ou s'aventuraient dans de longues randonnées à skis. Hana était une solide skieuse. Sur le parcours de huit kilomètres entre Nove Mesto et un village des environs (où un merveilleux salon de thé confectionnait de délicieuses pâtisseries à la crème), c'était toujours elle – pourtant la plus jeune – qui ouvrait la piste devant une ribambelle de cousins.

Mais le 31 décembre 1938, à la veille du jour de l'An, un vent menaçant se mit à souffler. Des rumeurs de guerre circulaient. Adolf Hitler et ses nazis gouvernaient en Allemagne. Plus tôt, cette année-là, Hitler avait pris le pouvoir en Autriche. Puis ses armées avaient envahi certaines régions de la Tchécoslovaquie. Des réfugiés, c'est-à-dire des gens qui tentaient d'échapper aux nazis, commencèrent à se présenter à la porte des Brady pour quémander de l'argent, de la nourriture et un toit pour la nuit. Maman et papa leur réservaient toujours un accueil chaleureux, mais les enfants n'y comprenaient rien. « Qui sont ces gens ? s'interrogeait Hana. Pourquoi viennent-ils par ici ? Pourquoi ne veulent-ils pas rester dans leur propre maison ? »

Pendant la soirée, une fois qu'Hana et George étaient allés se coucher, leurs parents s'assoyaient près de la radio pour écouter les actualités. Souvent des amis se joignaient à eux et ils discutaient ensuite jusque tard dans la nuit des nouvelles qu'ils avaient entendues.

– Parlons tout bas, disaient-ils, pour ne pas réveiller les enfants.

La conversation était si intense, les discussions si enflammées, que les adultes entendaient rarement craquer les lattes du plancher quand Hana et George, sur la pointe des pieds, traversaient le couloir sombre pour venir écouter aux portes du salon. Les enfants apprirent ainsi qu'une loi antijuive venait d'être adoptée en Autriche. Ils entendirent parler de la *Kristallnacht*, cette « Nuit de Cristal » où, dans toute l'Allemagne, des bandes de voyous nazis avaient dévasté les quartiers juifs, brisant les fenêtres des maisons et des magasins, brûlant des synagogues et battant les gens dans la rue.

– C'est impossible que de telles choses arrivent par ici, n'est-ce pas ? souffla Hana à l'oreille de son frère.

– Chut ! dit George. Si nous parlons maintenant, ils vont nous entendre et nous renvoyer au lit.

Un bon soir, leur voisin, M. Rott, émit à l'intention des adultes une idée bouleversante :

– Nous sentons tous qu'une guerre se prépare, commença-t-il. Les Juifs ne sont pas en sécurité dans ce pays. Nous devrions tous quitter Nove Mesto, quitter la Tchécoslovaquie, et aller aux États-Unis, en Palestine, au Canada. N'importe où. Nous devrions partir maintenant, avant qu'il soit trop tard.

Les autres furent estomaqués par sa suggestion.

– Êtes-vous devenu fou, monsieur Rott ? rétorqua quelqu'un. Nous sommes ici chez nous. Nous appartenons à ce pays.

Ce qui mit fin à la discussion.

Malgré l'angoisse qui flottait dans l'air, les Brady étaient déterminés à célébrer l'arrivée de 1939. La veille du jour de l'An, après un festin de dinde, de saucisse, de salami et de pouding, Hana, huit ans, George, onze ans, et leurs jeunes cousins des villes environnantes se préparèrent à jouer à un jeu traditionnel : prévoir l'avenir. Chaque enfant reçut une demi-noix, dans laquelle il devait insérer une petite bougie. Une grande bassine d'eau fut apportée au milieu de la pièce ; l'un après l'autre, les jeunes y lancèrent leur petit bateau de noix. Quand vint le tour de George, son embarcation vacilla dans l'eau, tourna en rond pendant quelques instants pour finalement s'immobiliser, couchée sur le flanc. Mais sa bougie brûlait toujours. Le bateau d'Hana fila élégamment pendant un moment, sans même chanceler. Puis il oscilla, se retrouva sur le côté, et la chandelle s'éteignit en touchant l'eau.

Tokyo,
hiver 2000

Sitôt arrivée à Tokyo, la valise devint le centre d'attraction de Fumiko et des enfants. Le jeune Akira, dix ans, habituellement taquin et boute-en-train, se demanda tout haut comment ce serait d'être orphelin. Quant à Maiko, une fille plus âgée, bonne vivante et athlète accomplie de la nage synchronisée, elle devenait toujours très grave et silencieuse en présence de la valise. Elle réfléchissait à ce que cela signifierait d'être envoyée au loin et de quitter ses amis.

La valise était le seul objet du Centre qui fût lié à un nom. D'après la date inscrite sur la valise, Fumiko ct les enfants déduisirent qu'Hana avait treize ans lorsqu'elle fut envoyée à Auschwitz.

– Un an de moins que moi, commenta une fille.

– L'âge de ma grande sœur, dit Akira.

À nouveau, Fumiko écrivit au Musée d'Auschwitz. Pourrait-on l'aider à découvrir quoi que ce soit au sujet de la fille à qui avait appartenu la valise ? Non, lui répondit-on, nous n'en savons pas plus que vous. Fumiko transmit la réponse aux enfants.

— Essayez ailleurs, insista Maiko.

— Ne lâchez pas, renchérit Akira.

— Poursuivez vos recherches, l'encouragèrent-ils en chœur.

Fumiko leur promit de continuer.

Elle écrivit en Israël, au Yad Vashem, l'Institut commémoratif des martyrs et des héros de l'Holocauste. Non, répondit le conservateur, nous n'avons jamais entendu parler d'une fille appelée Hana Brady. Vous êtes-vous informée au Holocaust Memorial Museum de Washington, D.C. ? Fumiko expédia aussitôt une lettre à Washington, mais la réponse fut la même : Non, nous n'avons pas d'information sur une fille nommée Hana Brady.

Comme c'était décourageant !

Mais un jour, alors qu'on ne s'y attendait plus, Fumiko reçut une petite note du Musée d'Auschwitz. On avait découvert quelque chose : le nom d'Hana sur une liste. Il y était indiqué qu'Hana était arrivée à Auschwitz en provenance d'un endroit nommé Theresienstadt.

Nove Mesto, 1939

L e 15 mars 1939, les troupes nazies d'Hitler envahirent le reste de la Tchécoslovaquie et la vie de la famille Brady changea pour toujours. Selon les nazis, les Juifs étaient des gens dangereux et méchants qui exerçaient une mauvaise influence. Dorénavant, la famille Brady, ainsi que les autres Juifs de Nove Mesto, devraient se soumettre à des règles particulières.

Les Juifs ne pouvaient quitter leur maison que durant certaines heures de la journée. Ils n'avaient le droit de faire leurs emplettes que dans certains magasins et seulement à des moments précis. On leur interdisait les voyages – donc, finies les visites chez les oncles et les grands-mères des villes environnantes. Les Brady furent forcés de déclarer aux nazis tout ce qu'ils possédaient – œuvres d'art, bijoux, coutellerie, livrets de banque. Ils s'empressèrent d'enfouir leurs papiers les plus précieux sous les combles du grenier. La collection de timbres de papa et l'argenterie de maman furent cachées chez des amis gentils*. Mais ils durent apporter leur radio à un bureau central et la céder à un officier nazi.

Un jour qu'Hana et George attendaient leur tour pour entrer au cinéma où était présenté le film *Blanche-Neige et les sept nains*, ils aperçurent, près du guichet, une affiche indiquant *Interdit aux Juifs*. Le visage rouge et les yeux brûlants, ils tournèrent les talons et rentrèrent chez eux. Hana passa la porte, furieuse et très contrariée. Elle interrogea ses parents :

– Qu'est-ce qui nous arrive ? Pourquoi n'ai-je pas le droit d'aller au cinéma ? Pourquoi ne suis-je pas capable de faire comme si de rien n'était, tout simplement ?

Maman et papa échangèrent un regard lugubre. Il n'y avait pas de réponse facile.

Chaque semaine semblait apporter une restriction nouvelle. Pas de Juifs sur les terrains de jeu. Pas de Juifs sur les terrains de sport. Pas de Juifs dans les parcs. Bientôt Hana n'eut plus le droit d'aller au gymnase. Même l'étang où elle patinait lui fut désormais interdit. Au début, ses amies – dont aucune n'était juive – furent aussi étonnées qu'Hana de cette batterie de mesures. Elles se tenaient en groupe à l'école, comme elles le faisaient depuis toujours, et elles passaient encore de bons moments à imaginer des espiègleries, tant en classe que dans les jardins privés.

---

* Gentil : Nom que les Juifs donnent à ceux qui ne sont pas juifs.

Au fur et à mesure que s'intensifiaient les restrictions imposées par les nazis, Hana et George s'épaulaient l'un l'autre.

– On reste ensemble pour toujours, quoi qu'il arrive, affirma Maria, sa meilleure amie. Nous ne laisserons personne nous dire avec qui nous pouvons jouer!

Au fil des mois, cependant, toutes les amies d'Hana cessèrent graduellement de venir chez elle après l'école ou en fin de semaine. Même Maria! Ses parents lui avaient ordonné de se tenir loin d'Hana, de peur que les nazis ne punissent toute leur famille s'ils autorisaient leur fille à demeurer l'amie d'une jeune Juive. Hana s'ennuyait atrocement.

À chaque amitié perdue, à chaque nouvelle restriction, Hana et George sentaient leur monde rapetisser un peu plus. Ils étaient en colère. Ils se sentaient tristes. Frustrés, aussi.

– Qu'est-ce qu'on peut faire ? demandaient-ils à leurs parents. Où peut-on aller ?

Ces derniers faisaient de leur mieux pour les distraire et leur suggérer de nouvelles façons de s'amuser.

– Nous avons de la chance d'avoir un aussi grand jardin, disait Marketa. Vous pouvez jouer à cache-cache, vous balancer aux arbres, inventer des jeux. Jouez les détectives dans la réserve du magasin. Explorez le tunnel secret. Imaginez des charades. Comptez-vous chanceux de vous avoir l'un l'autre.

Oui, Hana et George appréciaient d'être tous les deux – et bien sûr, ils s'amusaient ensemble –, mais ils ne renonçaient pas pour autant de gaieté

Hana et sa mère étendant le linge.

38

de cœur à toutes les activités qu'ils ne pouvaient plus faire et à tous les endroits qui leur étaient interdits. Par une radieuse journée du printemps, ils broyaient du noir, assis au soleil dans un pré à jouer distraitement avec des brins d'herbe. Soudain, Hana fondit en larmes.

— Ce n'est pas juste! gémit-elle. Je déteste ce qui arrive. Je veux que tout redevienne comme avant!

Elle arracha une poignée de gazon et la lança dans les airs. Puis elle regarda son frère. Elle savait qu'il se sentait aussi misérable qu'elle.

— Attends-moi! dit George. J'ai une idée.

Il revint au bout de quelques minutes, avec un bloc de papier, un stylo, une bouteille vide et une pelle.

— Pourquoi tout cet attirail? voulut savoir Hana.

— Ça nous aidera peut-être à nous sentir mieux si nous notons les choses qui nous embêtent, répondit-il.

— C'est idiot! riposta Hana. Ce n'est pas ça qui nous ramènera le parc ou le terrain de jeu. Ou Maria…

Mais George n'en démordait pas. Il était le grand frère, après tout, et Hana n'avait rien de plus intéressant à proposer. Alors, pendant plusieurs heures, les enfants déversèrent leur tristesse sur le papier. C'était surtout George qui écrivait et Hana qui parlait. Ils dressèrent la liste de ce qui leur manquait, de ce qui les mettait en colère; sur une autre, ils inscrivirent tout ce qu'ils voudraient faire ou avoir, ainsi que tous les endroits où ils iraient, lorsque cette période sombre serait terminée.

Quand ils eurent fini, George roula en tube les feuilles de papier et les glissa dans la bouteille. Puis il enfonça le bouchon. Le frère et la sœur revinrent alors vers la maison, s'arrêtant devant la balançoire à deux places où Hana creusa un grand trou. Dans cette cachette serait consignée une partie de leur peine et de leur frustration. George enfouit la bouteille au fond et Hana remit de la terre pour bien boucher le trou. Et lorsque tout fut terminé, le monde leur parut un peu plus léger, un peu plus lumineux, du moins pour cette journée-là.

Il était difficile de trouver un sens à tout ce qui arrivait. Surtout depuis qu'on leur avait confisqué la radio. Grâce aux nouvelles quotidiennes diffusées de Londres chaque soir à vingt heures, leurs parents s'étaient tenus au courant, au fur et à mesure, des avancées d'Hitler et de ses derniers actes de haine. Or, les nazis ordonnaient maintenant aux Juifs de rentrer chez eux avant vingt heures. Il était strictement interdit d'écouter la radio et le moindre manquement aux ordres était très sévèrement puni. Tout le monde craignait de se faire arrêter.

Karel, leur père, conçut un plan ingénieux pour contourner les règles nazies. C'était un vieil ami à lui qui était chargé de régler l'horloge de l'église.

– Me rendrais-tu un service ? lui demanda-t-il. Est-ce que ça te dérangerait de reculer l'horloge de quinze minutes, en début de soirée ?

Cette ruse lui permettrait de courir chez le voisin, d'écouter les nouvelles et de rentrer chez lui en toute sécurité lorsque l'horloge sonnerait vingt heures (c'est-à-dire, en fait, à vingt heures quinze).

Le garde nazi qui patrouillait la grande place n'y vit que du feu. Et papa était enchanté du succès de son stratagème. Malheureusement, les nouvelles que lui apprenait la radio étaient mauvaises. Très mauvaises. Les nazis remportaient toutes les batailles, progressaient sur tous les fronts.

Hana et George.

Tokyo,
mars 2000

Theresienstadt. Fumiko et les enfants savaient maintenant qu'Hana venait de Theresienstadt lorsqu'elle était arrivée à Auschwitz. Fumiko se sentait encouragée. C'était le premier élément d'information concret qu'elle obtenait au sujet d'Hana. Le premier indice.

Theresienstadt était le nom que les nazis avaient donné à la ville tchèque de Terezin. Une jolie petite ville, avec deux imposantes forteresses construites dans les années 1800 pour garder des prisonniers militaires et politiques. Après avoir envahi la Tchécoslovaquie, les nazis firent de Terezin le ghetto de Theresienstadt : une cité-prison surpeuplée, entourée d'une muraille et gardée par des sentinelles, pour contenir les Juifs qui avaient été forcés de quitter leur foyer. Au cours de la Seconde Guerre mondiale, plus de 140 000 Juifs y furent envoyés – dont 15 000 enfants.

Tard dans la nuit, Fumiko veillait ; son bureau était le seul point de lumière de tout le Centre endormi. Elle lisait tout ce qu'elle pouvait trouver concernant Theresienstadt.

Elle apprit que des choses effroyables s'y étaient passées, et qu'en l'espace de quelques années tous les habitants du ghetto avaient été déportés une autre fois, mis dans des trains et envoyés vers l'est, vers des camps de concentration encore plus épouvantables, dont on savait qu'ils étaient des lieux d'extermination.

Mais Fumiko apprit aussi que Theresienstadt avait été le théâtre de nombreux actes de bravoure et de gestes très révélateurs. Parmi les adultes qui y avaient séjourné, on comptait de grands artistes, des musiciens célèbres, des historiens, des philosophes, des dessinateurs de mode et des travailleurs sociaux. Toutes ces personnes se retrouvaient à Theresienstadt parce qu'elles étaient juives. Une incroyable somme de talents, de connaissances et de compétences vivaient à l'intérieur des murs du ghetto. Au nez des nazis et en s'exposant à des risques considérables, les prisonniers complotèrent pour mettre sur pied un programme sophistiqué d'enseignement et d'apprentissage, de productions et de spectacles, tant pour les adultes que pour les enfants. Ils étaient déterminés à rappeler à leurs élèves que, malgré la guerre, malgré leur existence terne, le surpeuplement des lieux et tout ce qui s'y passait, le monde recélait une beauté à laquelle chaque individu pouvait contribuer.

Fumiko découvrit aussi que les enfants de Theresienstadt apprenaient la peinture et le dessin.

Et que, par miracle, 4500 de leurs œuvres avaient survécu à la guerre. « Se pourrait-il que, parmi ces dessins, il y en ait un ou davantage qui soient signés Hana Brady ? » songeait Fumiko, le cœur battant.

Nove Mesto, de l'automne 1940 au printemps 1941

L'automne apporta un frisson dans l'air ainsi qu'un nouveau train de restrictions et d'épreuves encore plus dures.

Hana allait commencer sa troisième année quand les nazis annoncèrent que les jeunes Juifs n'auraient plus le droit d'aller à l'école.

– Je ne pourrai plus jamais voir mes amis, maintenant! sanglota la fillette lorsque ses parents lui apprirent la mauvaise nouvelle. Ni devenir institutrice quand je serai grande!

Depuis toujours, elle rêvait de se retrouver devant une salle de classe, où les élèves écouteraient attentivement tout ce qu'elle aurait à dire.

Or, Karel et Marketa tenaient à ce que leurs enfants poursuivent leurs études. Par chance, ils avaient les moyens d'engager des professeurs privés. Une jeune femme du village voisin devint donc l'institutrice d'Hana et George étudia avec un vieux professeur réfugié.

Maman s'efforçait de conserver son entrain.

– Bonjour Hana, chantonnait-elle au lever du soleil. C'est l'heure du petit déjeuner. Tu ne voudrais pas être en retard à l'école.

Chaque matin, Hana retrouvait à la table de la salle à manger sa nouvelle enseignante, une personne bien sympathique qui faisait de son mieux pour l'encourager à lire, à écrire et à faire des maths. Elle apportait un petit tableau noir qu'elle appuyait contre une chaise. De temps en temps, elle permettait à Hana de dessiner avec de la craie et de secouer les brosses à effacer pleines de poudre blanche. Mais à cette école-là, les camarades brillaient par leur absence, on ne pouvait guère rigoler et il n'y avait jamais de récréation. Hana trouvait plus difficile de demeurer attentive et de se concentrer sur les leçons. Dans les jours sombres de l'hiver, le monde semblait se refermer sur la famille Brady.

Effectivement, avec l'arrivée du printemps, le désastre éclata. En mars 1941, Marketa fut arrêtée par la Gestapo, la redoutable police secrète d'État d'Hitler.

Une lettre fut livrée à la maison, ordonnant à Marketa de se présenter à neuf heures le lendemain matin au quartier général de la Gestapo d'Iglau, une ville située non loin de Nove Mesto. Or, pour ne pas être en retard, maman devrait partir en pleine nuit, ce qui ne lui laissait qu'une journée pour tout organiser et pour faire ses adieux à sa famille.

Elle fit venir Hana et George au salon, s'assit sur le sofa et les attira contre elle. Elle leur annonça

Hana, sa mère et George, en des temps plus heureux.

qu'elle partait pour quelque temps. Hana se blottit encore plus près.

— Vous devrez être sages pendant mon absence. Écoutez bien papa et obéissez-lui. Je vais vous écrire, promit-elle. Et vous, allez-vous m'écrire aussi ?

George détourna les yeux. Hana frémit. Ils étaient trop catastrophés pour répondre. Jamais jusque-là leur mère ne les avait quittés.

Lorsque sa mère la borda dans son lit, ce soir-là, Hana la serra très fort. Marketa lui passa doucement la main dans les cheveux, comme au temps de sa petite enfance. Elle lui chanta à plusieurs reprises sa berceuse favorite. La fillette s'endormit, accrochée à son cou. Mais le lendemain matin, à son réveil, sa maman était partie.

Tokyo,
avril 2000

Fumiko pouvait à peine y croire lorsqu'une grande enveloppe plate fut livrée à son bureau de Tokyo. Quelques semaines auparavant, elle avait écrit au Musée du ghetto de Terezin, dans ce pays que l'on appelle aujourd'hui la République tchèque. Dans sa lettre, elle avait expliqué à quel point elle-même et les enfants du Centre étaient avides de découvrir les moindres renseignements qui leur permettraient d'en apprendre davantage sur Hana. Les responsables du musée avaient répondu ne rien savoir de l'histoire personnelle d'Hana. Mais, bien sûr, ils connaissaient l'existence de l'imposante collection de dessins d'enfants que l'on avait cachée dans le camp. Un grand nombre de ces œuvres étaient justement exposées au Musée juif de Prague.

Les mains tremblantes d'excitation, Fumiko ouvrit le paquet. Il contenait les photos de cinq dessins. L'un, en couleur, représentait un jardin et un banc de parc. Dans un autre, des gens pique-niquaient au bord d'une rivière. Les trois derniers étaient faits au crayon et au fusain. Le premier montrait un arbre ; le second dépeignait des ouvriers agricoles séchant du foin dans un champ ; et le troisième, des bonshommes en bâtons d'allumettes, chargés de bagages, qui descendaient d'un train. Dans le coin supérieur droit de chaque dessin, un nom : Hana Brady.

Un des dessins faits par Hana pendant son séjour à Theresienstadt.

Nove Mesto,
automne 1941

Comme elle l'avait promis à sa mère, Hana se comportait de son mieux. Elle aidait son père chaque fois qu'elle le pouvait et faisait ses devoirs. Boshka, que tous appréciaient beaucoup, s'efforçait de cuisiner les repas favoris d'Hana et lui servait des portions supplémentaires de dessert. Mais la fillette s'ennuyait terriblement de sa mère, surtout le soir. Personne ne pouvait lisser ses cheveux avec tout à fait la même douceur. Personne d'autre ne pouvait lui chanter sa berceuse. Et ce gros rire tonitruant de maman – eh bien, il manquait à tout le monde.

Les jeunes apprirent que leur mère était à Ravensbrück, en Allemagne, dans un camp de concentration pour femmes.

– Est-ce que c'est loin? demanda Hana à son père.

– Quand revient-elle à la maison? voulait savoir George.

Papa assura les enfants qu'il faisait tout son possible afin de la sortir de là.

Un jour qu'Hana lisait dans sa chambre, elle entendit Boshka qui l'appelait. Elle fit la sourde oreille, n'ayant guère envie de vaquer à des tâches ménagères. Et puis, que pouvait-il se passer de si excitant? Mais Boshka insistait:

— Hana, Hana! Mais où es-tu donc? Viens vite! Quelque chose de très spécial t'attend au bureau de poste.

À ces mots, Hana laissa tomber son livre. Était-ce possible que ce soit ce qu'elle espérait le plus au monde? Elle se précipita dehors et dévala la rue jusqu'au bureau de poste.

— Vous avez quelque chose pour moi? s'enquit-elle.

La dame derrière le comptoir glissa un petit paquet brun par le guichet. Le cœur d'Hana se mit à bondir lorsqu'elle reconnut l'écriture de sa mère. Elle l'ouvrit, les doigts tremblants. À l'intérieur, elle trouva un petit cœur brun fabriqué avec du pain. Les initiales « HB » y étaient gravées. Une lettre l'accompagnait:

Ma très chère petite, je t'envoie mes meilleurs vœux à l'occasion de ton anniversaire. Je regrette de ne pouvoir t'aider à souffler les bougies cette année. Mais le cœur est une breloque que j'ai fabriquée pour ajouter à ton bracelet. Est-ce que tes vêtements commencent à être trop serrés? Demande à papa et à Georgie d'en parler à tes tantes pour qu'elles en fassent faire de nouveaux pour ma grande fille. Je pense continuellement à toi

Les cadeaux fabriqués avec du pain que la mère d'Hana envoya à sa famille après sa déportation.

et à ton frère. Je vais bien. Est-ce que tu fais la bonne fille? Vas-tu m'écrire une lettre? J'espère que toi et George continuez vos études. Je vais bien. Tu me manques telle-ment, très chère Hanichka. Et maintenant, je t'embrasse.

> *Je t'aime, Maman.*
> *Mai 1941. Ravensbrück.*

Hana ferma les yeux en serrant très fort le petit cœur brun. Elle essayait d'imaginer maman à ses côtés.

Un autre coup dur s'abattit sur les Brady cet automne-là. Un jour, papa arriva à la maison avec

On obligeait les Juifs à porter une étoile jaune en tissu chaque fois qu'ils devaient sortir.

trois carrés de tissu. Sur chacun se trouvait une étoile de David, et, au milieu de l'étoile, un mot : *Jude*, c'est-à-dire *Juif*.

— Venez, les enfants, dit-il en prenant des ciseaux dans un tiroir de cuisine. Nous devons découper ces étoiles et les épingler sur nos manteaux. Nous devons les porter chaque fois que nous sortons.

— Pourquoi ? Les gens savent déjà que nous sommes juifs, objecta Hana.

— C'est ce que nous devons faire, répondit son père.

Il paraissait si las, si triste et si affligé qu'Hana et George n'eurent pas le cœur de protester.

À partir de ce jour-là, Hana sortit moins souvent. Pour éviter de porter l'insigne jaune en public, elle aurait fait n'importe quoi, ou presque. Elle détestait l'étoile, tellement humiliante, tellement embarrassante. N'était-ce pas assez d'avoir perdu leur parc, leur étang, leur école et leurs amis ? Mais désormais, s'ils quittaient la maison, l'étoile était épinglée à leurs vêtements.

Or, il y avait à Nove Mesto un Juif qui ne voulait pas obéir à la consigne. Il en avait assez de tous ces règlements, de toutes ces restrictions. Alors, un bon jour de la fin septembre 1941, il sortit de chez lui avec un sentiment de bravade. Au lieu de découper l'étoile, il épingla sur son paletot le morceau de tissu au complet. Ce minuscule geste de rébellion fut aussitôt remarqué par l'officier nazi en poste dans la ville, qui devint furieux. Il déclara que Nove Mesto devait immédiatement devenir *juden-frei*, c'est-à-dire purgé de tous ses Juifs.

Dès le lendemain matin, une grosse voiture noire conduite par un officier nazi se gara devant la maison des Brady. À l'intérieur s'entassaient déjà quatre Juifs terrorisés. On cogna à la porte. Karel ouvrit, Hana et George derrière lui. L'officier de la Gestapo hurla à la tête de papa l'ordre de sortir immédiatement. Hana et George n'en croyaient pas leurs oreilles. Figés sur place, ils restaient là, stupéfaits, terrifiés et muets. Leur père les embrassa, les supplia d'être braves. Et à son tour, il s'en alla.

Tokyo,
printemps 2000

Fumiko était enchantée par les dessins d'Hana. Elle savait qu'ils aideraient les enfants à mieux imaginer la personne qu'avait été Hana, qu'ils pourraient ainsi plus facilement se mettre à sa place. Fumiko ne se trompait pas.

Un autre dessin d'Hana pendant son séjour
à Theresienstadt.

Les Petites Ailes.

Plus que jamais, les jeunes bénévoles du Centre
fixaient leur attention sur Hana. Sous la direction
de Maiko, quelques-uns d'entre eux formèrent un
groupe et se donnèrent pour mission de transmettre à d'autres enfants tout ce qu'ils apprenaient.
Ils baptisèrent leur club : *les Petites Ailes*. Ils se
réunissaient une fois par mois pour planifier leur
bulletin. Chaque membre avait un rôle à jouer ; les
plus vieux rédigeaient des articles ; les plus jeunes
étaient invités à faire des dessins et d'autres écri-
vaient des poèmes. Avec l'aide de Fumiko, ils ache-
minaient leurs bulletins aux écoles de tout le pays,
de façon que d'autres puissent découvrir l'histoire
de l'Holocauste et être au courant de l'enquête
entreprise pour retrouver Hana.

Une chose les intriguait plus que tout : à quoi ressemblait donc Hana ? Ils avaient envie de voir le visage de cette petite fille dont ils souhaitaient tant connaître l'histoire. « Si seulement je pouvais trouver une photo d'elle, songeait Fumiko, Hana deviendrait encore plus réelle comme être humain à leurs yeux. » La directrice du Centre tenait fermement à ce que l'enquête se poursuive.

Maintenant qu'elle avait les dessins, une chaussette, un soulier, un chandail et, bien sûr, la valise d'Hana, Fumiko décida qu'il était temps d'ouvrir au public cette exposition qu'elle préparait depuis déjà un bon moment : *L'Holocauste vu à travers les yeux des enfants*.

Nove Mesto,
hiver 1941-1942

Maintenant, ils n'étaient plus que deux enfants. Pas de parents. George entoura les épaules de sa petite sœur de dix ans et promit de prendre soin d'elle. Boshka tenta de leur changer les idées en cuisinant des plats spéciaux et en bavardant d'un ton léger. Mais sans succès. Les enfants étaient tristes et ils avaient très peur.

Quelques heures après l'arrestation de leur père, ils entendirent frapper à la porte. Le cœur d'Hana se mit à battre, très fort. George avait la gorge serrée. Qui venait-on chercher, cette fois ? Mais en ouvrant la porte, ils aperçurent oncle Ludvik, leur oncle Ludvik bien-aimé.

– Je viens d'apprendre la mauvaise nouvelle, dit-il, enlaçant Hana d'un bras et George de l'autre. Vous venez avec moi tous les deux ; vous devez rester dans la famille, avec des gens qui vous aiment.

Oncle Ludvik était un chrétien qui avait épousé la sœur de papa. Comme il n'était pas juif, il ne représentait pas une cible évidente aux yeux des

Hana, quand elle était plus petite, avec George et sa poupée Nana, qui était presque aussi grande qu'elle.

nazis. Il faisait tout de même preuve de courage en hébergeant George et Hana. La Gestapo avait menacé de graves sévices quiconque viendrait en aide aux Juifs.

Oncle Ludvik invita les enfants à rassembler leurs biens les plus précieux. Hana apporta sa poupée Nana, grandeur nature, qu'elle avait depuis l'âge de cinq ans. George fit un paquet de toutes les photos de famille. Chaque enfant remplit de vêtements une valise. Hana choisit la grande brune, dont elle s'était déjà servie lors de voyages familiaux. Elle adorait le papier à pois de la doublure. Leurs bagages faits, ils éteignirent la lumière et sortirent en refermant la porte derrière eux.

Hana, George et Sylva, leur lévrier.

Hana, en compagnie d'oncle Ludvik,
un homme brave et affectueux.

Ce soir-là, oncle Ludvik et tante Hedda installè-
rent Hana dans un grand lit et la couvrirent d'un
édredon tout doux.

— Nous nous occuperons de toi jusqu'au retour
de tes parents, Hana, l'assurèrent-ils. Et si tu te
réveilles la nuit, nous serons ici tout près, au bout
du couloir.

Mais Hana demeura éveillée bien après le couvre-
feu, à fouiller des yeux une obscurité qui ne lui
était pas familière. Elle dormait dans un lit étran-
ger. Et le monde — dorénavant plein de dangers —
donnait l'impression d'être sens dessus dessous.
« Qu'arrivera-t-il maintenant ? » s'inquiétait la fillette,

oppressée par la peur. Elle finit par fermer les yeux et s'endormit.

Le lendemain matin, des jappements impérieux à l'extérieur de sa fenêtre la tirèrent du sommeil. Le cœur battant, elle se demanda ce qui pouvait bien se passer encore. Puis elle reconnut le bruit : c'était Sylva, leur loyal lévrier, qui avait trouvé son chemin et traversé la moitié de la ville pour être avec elle et George. « Au moins, certains amis nous restent fidèles », songea Hana. Et cette pensée la réconforta un peu.

Pas très grande, mais confortable, la maison de tante Hedda et oncle Ludvik disposait d'un petit jardin à l'arrière. Elle était tout près de l'école du quartier et, chaque jour, George et Hana voyaient passer les élèves qui s'y rendaient, chargés de leurs sacs de livres, en riant et en s'amusant.

– Moi aussi, je veux y aller ! gémissait Hana en trépignant.

Elle se sentait blessée, frustrée, mais personne n'y pouvait rien.

Pendant les mois qui suivirent, l'oncle et la tante firent de leur mieux pour tenir les enfants occupés. George passait des heures à fendre du bois. Hana lisait des livres et s'amusait à des jeux. Ses cousins, Véra et Jiri, l'aimaient bien. À l'occasion, elle les accompagnait même à l'église.

Et chaque midi, Hana et George retournaient à leur ancienne maison pour manger avec Boshka, qui les dorlotait et les serrait dans ses bras en les couvrant de baisers. Elle leur rappelait qu'elle avait

*Hana et George participant
aux travaux des champs.*

*Plus tard, à Theresienstadt, Hana dessina cette scène,
représentant des gens travaillant aux champs.*

promis à leurs parents de les garder en bonne santé en les nourrissant bien.

À des intervalles de quelques semaines, ils recevaient des lettres de leur père, détenu à la prison de la Gestapo d'Iglau. George n'en lisait à sa sœur que les passages encourageants. Il jugeait Hana trop jeune pour connaître toute la vérité sur les sordides conditions de détention de leur père, pour savoir à quel point celui-ci désespérait de jamais recouvrer la liberté. Elle n'était pas trop jeune, cependant, pour être déportée par les nazis.

Nove Mesto,
mai 1942

Un jour, une dépêche fut livrée à la maison de tante Hedda et oncle Ludvik. Le 14 mai 1942, Hana et George Brady devraient se présenter au Centre de déportation de Trebic, à cinquante kilomètres de Nove Mesto. Les craintes d'oncle Ludvik se réalisaient. Il convoqua Hana et George dans son étude et leur lut l'ordre de déportation. Puis il s'efforça de présenter les mauvaises nouvelles de la manière la plus positive :

— Vous partez en voyage. Ensemble ! Vous vous rendez dans un endroit où il y a de nombreux autres Juifs, beaucoup d'enfants avec qui vous pourrez jouer. Même que, là-bas, vous ne serez peut-être pas obligés de porter l'étoile !

George et Hana ne dirent pas grand-chose. Tous deux se sentaient malheureux d'être à nouveau déracinés et de devoir quitter leur tante et leur oncle.

Hana avait peur. Lorsque Boshka vint les aider à se préparer pour cet étrange voyage, Hana la bombarda de questions :

Herrn, Frau, Fräulein
Pan, paní, slečna

Brady Hanna

100. 436

Neustadtl Ihla.

13

Diese Vorladung ist mit Genehmigung der Zentralstelle für jüdische Auswanderung Prag (Dienststelle des Befehlshabers der
Sicherheitspolizei be m Reichsprotektor in Böhmen und Mähren)
als Reisegenehmigung anzusehen.

Tato obsílka platí za cestovní povolení na základě schválení Zentralstelle für jüdische Auswanderung Prag (Dienststelle des Befehlshabers der Sicherheitspolizei beim Reichsprotektor in Böhmen
und Mähren).

Über Weisung der Zentralstelle für jüdische Auswanderung Prag
haben Sie sich

Z nařízení Zentralstelle für jüdische Auswanderung Prag do-
staviie se

am - dne **30 IV. 1942**

um - v *10*

in - do *Trebitsch* Uhr - hod.

einzufinden.

Jede vorgeladene Person hat mitzubringen
1. Geburtschein,
2. Bürger!egitimation (Kennkarte oder einen anderen Be-
leg über die Staatsbürgerschaft),
3. diese Vorladung.
Neben diesen Personaldokumenten hat jede Person sämtliche
Lebensmittelkarten mitzubringen.

Každá předvolaná osoba přinese s sebou
1. rodný list,
2. občanskou legitimaci (průkaz totožnosti nebo jiný
úřední doklad o státní příslušnosti),
3. toto předvolání.
Kromě těchto osobních dokladů, přinese každá osoba všechny
potravinové lístky s sebou.

Um die vorgeschriebene Vorladungsstunde einhalten zu können,
werden Sie den

Abyste dodržel(a) hodinu, na kterou jste byl(a) předvolán(a),
použijete vlaku, který odjíždí

29.4.42

um - v *18'03* Uhr - hod.

von : *Neustadtl über Saar*

abgehenden Zug benützen.

Zur Rückreise müssen Sie, den

K návratu musíte nastoupiti do vlaku, který opouští

um - v *16'38* Uhr - hod.

vom Vorladungsort abgehenden Zug benützen.

místo předvolání.

Kinder bis zu 4 Jahren müssen nicht persönlich erscheinen, doch
müssen ihre Eltern oder verantworti. Aufseher, sowohl die Per-
sonaldokumente, als auch diese Vorladung und die Lebensmittel-
karte vorlegen. Kranke und alle Personen, die nicht persönlich
erscheinen können, müssen neben allen Dokumenten ein amts-
ärztliches Zeugnis vorlegen lassen. Dieses Zeugnis muß eine ge-
naue Diagnose der Krankheit enthalten.

Děti do 4 let se nemusí osobně dostaviti, avšak jejich rodiče nebo
jejich zodpov. dozorce musí předložiti jak jejich osobní doklady,
tak i toto předvolání a všechny potravinové lístky. Nemocné a
staré osoby, které se nemohou osobně dostaviti, dají za sebe
předložiti všechny doklady a toto vysvědčení úředního lé-
kaře. Toto vysvědčení musí obsahovati přesnou diagnosu nemoci.

JÜDISCHE KULTUSGEMEINDE IN PRAG
ŽIDOVSKÁ NÁBOŽENSKÁ OBEC V PRAZE

*Ce document ordonne qu'Hana soit déportée
de la maison de son oncle le 30 avril 1942.
En fait, elle fut envoyée à Theresienstadt le 14 mai.*

– Où sont nos parents ? Quand allons-nous les revoir ? Où allons-nous aboutir ? Qu'est-ce que nous avons le droit d'apporter ?

La gouvernante n'avait aucune réponse à lui offrir. Elle lui apprit qu'elle-même quitterait Nove Mesto pour aller habiter avec un de ses frères, qui vivait dans une ferme.

Hana sortit de sous son lit la grosse valise brune doublée de papier à pois. Elle y mit un sac de couchage en espérant ainsi emporter avec elle l'odeur de la maison, peu importe à quelle distance on les enverrait. George fit de même. Parmi leurs vêtements, ils enfouirent du salami, du sucre, ainsi que quelques souvenirs.

Oncle Ludvik avait le cœur brisé à l'idée de se séparer de son neveu et de sa nièce. Il chargea un cocher de les conduire au Centre de déportation, ne pouvant se résoudre à y aller lui-même. Lui et sa femme s'efforcèrent de ravaler leurs larmes en faisant leurs adieux à Hana et à George. Ils les assurèrent qu'ils allaient attendre leur retour à Nove Mesto une fois la guerre finie. Lorsque le cocher agita ses clochettes et que les chevaux se mirent en mouvement, emportant la voiture loin de la maison, personne ne prononça une parole.

Quelques heures plus tard, le cocher déposa Hana et George devant un immense entrepôt, où ils se joignirent à une file près de l'entrée. Lorsqu'ils atteignirent le bureau d'enregistrement, ils donnèrent leur nom à un soldat à l'air renfrogné qui les aiguilla de la main vers le bâtiment sombre et suffocant.

À l'intérieur, des matelas jonchaient le sol. Hana et George en trouvèrent deux côte à côte dans un coin et s'y assirent. Un regard circulaire leur permit de constater qu'il n'y avait à peu près pas d'autres enfants. Mais il y avait là des centaines de Juifs, hommes et femmes, qui attendaient d'être emmenés à un endroit appelé Theresienstadt. Tous ceux qui étaient là allaient être déportés.

Hana et George passèrent quatre jours et quatre nuits dans cet entrepôt, mangeant la nourriture qu'ils avaient dans leur valise, dormant sur les matelas. Certains adultes tentèrent de leur témoigner de la gentillesse, mais ni Hana ni George n'étaient d'humeur sociable. Ils étaient ensemble et ça leur suffisait. Pour passer le temps, ils lisaient, conversaient, faisaient des siestes et pensaient à la maison. Ce fut dans cet entrepôt, le 16 mai 1942, qu'Hana Brady célébra son onzième anniversaire, avec quelques bonbons et un bout de chandelle.

Tokyo,
juin 2000

L'exposition *L'Holocauste vu à travers les yeux des enfants* attira un nombre de visiteurs, jeunes et moins jeunes, qui dépassa toutes les prévisions de Fumiko. Beaucoup d'entre eux n'avaient jamais entendu parler de l'Holocauste. Comme Fumiko l'avait espéré, les objets qu'elle avait rassemblés, et l'histoire qu'ils racontaient, rendaient cette tragédie concrète aux yeux de tous.

Même s'ils s'intéressaient au soulier, à la bonbonne de gaz zyclon B et au petit chandail, c'était surtout la valise qui les attirait comme un aimant. Des enfants accompagnés de leurs parents s'agglutinaient continuellement autour d'elle pour en examiner l'inscription : *Hana Brady, 16 mai 1931, Waisenkind* – orpheline. Ils lisaient les poèmes écrits par les membres des Petites Ailes. Et ils admiraient les dessins qu'Hana avait faits à Theresienstadt.

– Savez-vous autre chose à son sujet ? s'informaient-ils. Que lui est-il arrivé ? À quoi ressemblait-elle ?

Fumiko décida de redoubler d'ardeur pour dénicher une photo d'Hana. Il devait bien y avoir quelqu'un, quelque part, qui pourrait les aider. Elle écrivit de nouveau au Musée du ghetto de Terezin et la réponse lui parvint bientôt : Non, comme nous vous l'avons déjà dit, nous n'avons aucune information au sujet d'une fille appelée Hana Brady.

Mais Fumiko ne pouvait tout simplement pas s'avouer vaincue. Elle résolut de se rendre à Terezin en personne.

Centre de déportation, mai 1942

L e matin du quatrième jour, un puissant coup de sifflet retentit et un soldat nazi fit irruption dans l'entrepôt. Hana et George se recroquevillèrent dans leur coin tandis qu'il aboyait ses ordres :

– Tout le monde à la voie ferrée dans une heure ! Une valise par personne. Vingt-cinq kilos. Pas un gramme de plus. Formez des lignes droites. Défense de parler. Faites ce qu'on vous dit.

La voix était d'une telle âpreté, si terrifiante ! Hana et George ramassèrent leurs affaires en toute hâte. Des adultes tentèrent de les aider pour s'assurer qu'ils seraient prêts à temps. « Pauvres petits, songeaient-ils. Un voyage aussi pénible, et ils sont seuls, sans leurs parents. »

Sous l'œil menaçant des soldats, ils sortirent de l'entrepôt à la queue leu leu pour aller former une file le long des rails. Portant leurs valises, Hana et George quittèrent le radieux soleil du matin pour monter dans un sombre wagon. D'autres personnes s'y engouffrèrent à leur suite, jusqu'à ce qu'il soit plein. Puis les portes se refermèrent avec fracas et le train s'ébranla.

Terezin,
juillet 2000

Theresienstadt est le nom donné par les nazis à la ville tchèque de Terezin. Pour résoudre l'énigme de la valise d'Hana, Fumiko savait qu'elle devait se rendre sur les lieux. Mais comment ? La République tchèque se trouvait à des milliers de kilomètres du Japon et le billet d'avion, trop cher, était au-dessus de ses moyens.

Cependant, sa bonne étoile veillait. Un colloque sur l'Holocauste devait avoir lieu en Angleterre et Fumiko y était invitée. De là, un court voyage en avion l'amènerait à Prague, capitale de la République tchèque, où elle serait à deux heures d'autobus de Terezin. Avec quelle impatience Fumiko attendait de partir !

Le matin du 11 juillet 2000, Fumiko descendit de l'autobus sur la grande place de Terezin, une jolie ville qui, au premier coup d'œil, n'avait rien de particulier : de larges rues bordées d'arbres où se dressaient des habitations de trois étages ; les maisons étaient propres, bien tenues et des jardinières ornaient leurs fenêtres. Mais c'est à peine si

Fumiko se rendit à Terezin,
une petite ville d'aujourd'hui.

Fumiko le remarqua, car elle ne disposait que de cette journée pour mener à bien sa mission. Le même soir, elle devait retourner à Prague, d'où son avion repartait pour le Japon le lendemain matin.

Fumiko n'avait ni téléphoné au musée à l'avance, ni pris rendez-vous. Mais voilà que, juste en face de la grande place, elle aperçut une bâtisse jaune claire de deux étages : c'était justement le Musée du ghetto de Terezin.

Fumiko ouvrit la lourde porte et se retrouva dans le hall d'entrée, une pièce fraîche, étrangement tranquille. Mais où étaient les gens ? Elle passa la tête dans quelques bureaux, de part et d'autre de l'entrée. Personne. En fait, l'immeuble semblait complètement désert.

« Que se passe-t-il ? s'étonnait Fumiko. Se peut-il que tout le monde soit parti déjeuner ? Mais non, il n'est que dix heures du matin. » Elle ressortit sur la place et toucha l'épaule d'un homme à l'air sympathique qui était assis sur un banc.

– Pourriez-vous m'aider ? s'enquit-elle. Je cherche quelqu'un pour me guider dans le musée.

– Oh, mais vous ne trouverez personne aujourd'hui, jeune dame, répondit-il. C'est congé et tout le personnel est parti célébrer. Pas de chance pour vous, j'en ai peur…

Theresienstadt, mai 1942

Le voyage en train fut calme et sans histoire. Perdus dans leurs pensées, les passagers semblaient repliés sur eux-mêmes et ressassaient leurs craintes face à l'avenir. Après quelques heures, le convoi s'arrêta brusquement. Les portes s'ouvrirent en claquant et les passagers effrayés qui en étaient proches purent lire sur un écriteau : *Gare de Bauschowitz*. À la lumière du soleil, Hana devait cligner des yeux tandis qu'elle et George tiraient leurs valises hors du wagon. De la gare, on leur ordonna de franchir à pied le reste du chemin conduisant à la forteresse de Theresienstadt.

Il n'y avait que quelques kilomètres à parcourir, mais les valises étaient lourdes et encombrantes. Les enfants songèrent à se délester de quelques objets pour alléger leur fardeau, mais ils se ravisèrent. Tout le contenu de leurs valises était précieux : c'étaient les seuls souvenirs qui leur restaient de leur vie d'antan. George se chargea d'une valise et celle d'Hana fut déposée sur un chariot poussé par des prisonniers.

Ils marchèrent jusqu'à l'entrée de la forteresse, qui était entourée d'une muraille, et se rangèrent dans une file. Chaque personne arborait une étoile jaune, tout comme eux.

À l'avant de la file, un soldat demandait aux gens leur nom, leur âge et leur lieu de naissance. Les garçons et les hommes étaient ensuite dirigés d'un côté, les filles et les femmes de l'autre.

– Où vont-ils? chuchota Hana à George.

La perspective d'être séparée de son frère la terrorisait au plus haut point.

– Est-ce que je peux aller avec toi? supplia-t-elle.

– Tiens-toi tranquille, Hana! lui recommanda George. Ne fais pas d'histoire.

Lorsqu'ils atteignirent l'avant de la file, le soldat les dévisagea.

Dessin d'Hana, pendant son séjour à Theresienstadt, montrant des gens qui descendent du train.

– Où sont vos parents ? voulut-il savoir.

– Ils sont, euh... dans un autre... euh... camp, bredouilla George. Nous espérons qu'ici, peut-être, nous serons tous réunis.

Mais le soldat n'avait nulle envie de faire la conversation. Il inscrivit leurs noms sur des fiches et fouilla leurs bagages, à la recherche d'argent et de bijoux. Puis il referma les valises sans ménagement.

– À gauche, ordonna-t-il à George. À droite, ordonna-t-il à Hana.

– S'il vous plaît, plaida Hana, puis-je rester avec mon frère ?

– Allez, avancez ! fit le soldat.

Les pires appréhensions d'Hana étaient sur le point de se réaliser. George l'embrassa rapidement.

– Ne t'inquiète pas, lui dit-il. Je te trouverai dès que je le pourrai.

Ravalant ses larmes, Hana souleva sa valise et s'engagea dans la file qui se dirigeait vers le *Kinderheim** L410, une grande bâtisse destinée aux filles, qui deviendrait sa demeure pendant les deux prochaines années.

* Kinderheim : Mot allemand signifiant « le foyer des enfants ».

Terezin,
juillet 2000

Fumiko était stupéfaite. Et très fâchée. Elle s'en voulait à elle-même et déplorait son manque de chance. « J'ai pris la peine de venir jusqu'ici, ruminait-elle, et voilà que tous ceux qui pourraient m'aider sont en congé. Comment ai-je pu choisir un aussi mauvais moment pour venir au Musée de Terezin ! Comment ai-je pu être aussi stupide ? Et surtout, que vais-je faire, maintenant ? »

Incommodée par les rayons du soleil, Fumiko laissa rouler une larme de frustration sur sa joue. Elle décida cependant de retourner à l'intérieur du musée pour tenter de faire le point. Peut-être serait-elle capable d'élaborer un nouveau plan d'attaque.

Alors qu'elle était assise sur un banc, dans le hall d'entrée, elle entendit un froissement qui semblait provenir d'une pièce, au bout du couloir. Guidée par le bruit, Fumiko s'y dirigea sur la pointe des pieds. Et là, dans le dernier bureau à droite, elle aperçut une femme avec des lunettes sur le bout du nez, occupée à trier une impressionnante pile de documents.

Elle sursauta à la vue de Fumiko et faillit tomber en bas de sa chaise.

– Qui êtes-vous ? Qu'est-ce que vous faites ici ? Le musée est fermé.

– Mon nom est Fumiko Ishioka. Je viens de très loin, du Japon, pour chercher des renseignements sur une petite fille qui a vécu ici, à Theresienstadt. Nous avons sa valise à Tokyo, dans notre musée.

– Revenez un autre jour, répondit poliment l'autre femme, et quelqu'un essaiera de vous aider.

– Mais je ne peux pas revenir un autre jour ! s'exclama Fumiko. Mon avion repart demain matin pour le Japon. S'il vous plaît, aidez-moi à retrouver Hana Brady.

La femme retira ses lunettes et posa un regard étonné sur la jeune Japonaise. Elle perçut sa détermination et comprit à quel point sa recherche lui tenait à cœur.

– Eh bien, d'accord, soupira-t-elle. Je ne vous garantis rien. Mais je vais essayer de vous aider. Je m'appelle Ludmila.

Theresienstadt,
1942-1943

Le *Kinderheim* L410 était un grand bâtiment plutôt quelconque, qui abritait une dizaine de dortoirs. Chaque dortoir logeait vingt filles, qui dormaient sur des paillasses de toile dans des lits à trois étages. Alors qu'avant la guerre Terezin comptait cinq mille habitants, les nazis entassaient, dans le même espace, dix fois plus de prisonniers.

Il n'y avait jamais assez de place, jamais assez de nourriture, jamais assez d'intimité. Trop de monde, trop de moustiques, trop de rats, trop de nazis qui patrouillaient le camp en faisant régner leur cruelle discipline.

Dans les premiers temps, les enfants plus jeunes, dont Hana faisait partie, n'avaient pas le droit de quitter le bâtiment. De sorte qu'elle ne pouvait pas voir George, qui vivait dans le *Kinderheim* L417, réservé aux garçons et situé quelques baraques plus loin. Hana s'ennuyait terriblement de lui et elle implorait constamment les filles plus âgées, qui avaient le droit de sortir, de lui rapporter des nouvelles de son frère. Ces grandes jeunes filles prirent Hana sous leur aile. Elles avaient pitié de cette enfant qui se retrouvait seule au monde, sans père ni mère, et séparée de son frère.

Hana se lia d'amitié avec l'une d'entre elles, sa voisine de lit. Ella était petite, brune, pleine de vie, rieuse, et elle acceptait volontiers de passer du temps avec une enfant plus jeune qui l'admirait et qu'elle pouvait réconforter dans les moments difficiles.

Le préposé qui distribuait les bons de rationnement pour la nourriture se prit d'affection pour Hana. Inquiet de sa santé, et sachant qu'elle avait toujours faim, il lui offrait gentiment de lui donner des bons supplémentaires pour qu'elle puisse prendre une deuxième portion de soupe à l'eau, un autre quignon de pain noir. La simple évocation de cette nourriture additionnelle faisait gargouiller l'estomac d'Hana et lui mettait l'eau à la bouche. Pourtant, elle refusait poliment chaque fois. Ella et ses compagnes plus âgées l'avaient prévenue : être prise en flagrant délit de désobéissance à une règle lui attirerait de sérieux ennuis avec les gardes.

Arrachées à leurs familles, entassées dans des espaces exigus, avec à peine assez à manger, les filles entreprirent de tirer le meilleur parti d'une situation aussi pénible. Celles qui avaient plus de quinze ans vaquaient au jardin, où l'on cultivait des fruits, des légumes et des fleurs pour les soldats nazis. De temps en temps, M. Schwartzbart, le responsable, laissait Hana sortir avec le groupe de travailleuses pour prendre un bol d'air frais et profiter du soleil. Hana adorait avoir ainsi l'occasion de jardiner avec ses aînées ; avec, en prime, la chance qu'un haricot vert par-ci, une fraise par-là trouvent le chemin de sa bouche affamée.

Mais la plupart du temps, Hana devait rester avec ses compagnes du même âge ou plus jeunes, et obéir à la surveillante de leur dortoir. Chaque jour, les fillettes époussetaient, nettoyaient et balayaient sous les lits. On lavait la vaisselle, tout comme on se débarbouillait le visage, à la pompe. Et chaque jour se tenaient des classes clandestines dans le grenier du *Kinderheim* L410.

Pendant les cours de musique, les filles apprenaient de nouvelles chansons. Elles fredonnaient à mi-voix, de peur que les gardes ne les entendent. À la fin de chaque leçon, une enfant était désignée pour interpréter un refrain qu'elle aimait du temps où elle vivait dans sa famille. Lorsque venait son tour, Hana entonnait toujours *Stonozka,* ou *la Ballade de la dame aux mille pattes* :

Non, c'est pas drôle, une vie pareille!
Elle a si mal à ses orteils
À force de marcher au soleil.
L'a bien raison de crier : Aïe!

Donc, s'il m'arrive d'avoir les bleus,
Je songe à la dame aux mille pattes!
Je m'imagine dans ses savates
Et voilà que je me sens mieux!

On enseignait aussi la couture. Hana n'avait jamais tenu une aiguille de sa vie et les points lui donnaient du fil à retordre. Lorsqu'elle faisait des

Dessin d'Hana : des personnes pique-niquent
sous un parasol, au bord d'une rivière.

erreurs idiotes, elle rigolait nerveusement et la prof
devait souvent la prier de se calmer. Quoi qu'il en
soit, Hana réussit à terminer une blouse bleue dont
elle était très fière.

Mais le cours d'arts plastiques était celui qu'elle
préférait. Ce n'était guère facile de se procurer du
matériel pour le dessin et la peinture. On en intro-
duisait en catimini dans le ghetto, dans des valises.
On courait parfois des risques considérables pour
voler du papier à même les réserves des nazis. Et,
si rien d'autre n'était disponible, on se servait de

simple papier d'emballage. De toute façon, aux premiers jours de Theresienstadt, les craies en cire et les crayons de couleur ne manquaient pas.

Le cours d'arts plastiques était donné par Friedl Dicker-Brandeis, une artiste peintre qui avait connu la célébrité avant de se retrouver prisonnière à Theresienstadt. Elle inculquait à ses élèves des notions importantes : elle les initiait à la perspective, leur expliquait ce qu'était la texture d'une œuvre. Et dans leurs dessins, les filles illustraient parfois des sujets sérieux : les murs du ghetto, des files de gens en attente de nourriture, des détenus battus par des soldats nazis.

Mais, plus que tout, Friedl tenait à ce que ses cours aident les jeunes à oublier leur environnement brutal, du moins pour un moment.

– Pensez espace, disait-elle à Hana et à ses jeunes compagnes. Pensez liberté ! Donnez libre cours à votre imagination. Racontez-moi ce qu'il y a dans votre cœur. Transcrivez-le sur le papier !

Pour leur faire plaisir, elle les emmenait parfois sur le toit de la bâtisse, pour qu'elles se rapprochent du ciel. En regardant au-delà des murailles du camp, elles voyaient au loin les montagnes environnantes. Elles pouvaient rêver d'oiseaux et de papillons, d'étangs et de balançoires, puis leur donner vie avec leurs craies et leurs crayons.

Les cours terminés et toutes les corvées accomplies, elles jouaient au *Smelina*, un jeu de société inventé dans le ghetto même. Oswald Pock, un ingénieur déporté à Terezin, avait imaginé ce jeu destiné aux enfants et fondé sur le principe du

Monopoly. Les concurrents se retrouvaient par exemple sur la case *Entwesung* – la station d'épouillage où les vêtements étaient désinfectés –, ou alors sur la case des baraquements des gardes. Ils aménageaient non pas des hôtels mais des *kumbals*, c'est-à-dire des cachettes dans le grenier d'un baraquement. Et en guise de monnaie, ils utilisaient des billets en papier appelés *couronnes du ghetto*.

Malgré toutes ces distractions, Hana finissait toujours par se sentir seule et affamée. George lui manquait terriblement. Puis, un jour, on annonça un changement aux règlements du ghetto : les filles avaient maintenant le droit de sortir une fois par semaine, pendant deux heures.

Aussitôt, Hana traversa la place et vola jusqu'à la résidence des garçons.

– George ! criait-elle. George Brady ! Où est mon frère ? Avez-vous vu mon frère ?

Elle courait de pièce en pièce, posant la question à tous les garçons qu'elle rencontrait. Elle était si anxieuse de trouver son frère qu'elle ouvrit même la porte d'une salle de bains. Et c'est là qu'elle le découvrit ! Il était devenu plombier et travaillait à son nouvel emploi. Quelles joyeuses retrouvailles ! George lâcha ses outils et Hana se précipita dans ses bras. Ils riaient et pleuraient tout à la fois, les questions affluant à leurs lèvres dans le désordre.

– Vas-tu bien ? As-tu eu des nouvelles de maman et de papa ? Manges-tu à ta faim ?

Dès lors, ils profitèrent de toutes les occasions pour être ensemble. George prenait à cœur sa responsabilité de grand frère. Il sentait que c'était à lui de protéger Hana et de s'assurer qu'elle ne se mette pas dans le pétrin. Il voulait la garder aussi heureuse et en santé que possible, jusqu'à ce qu'ils puissent retourner avec leurs parents.

Hana lui rendait bien son affection. À Terezin, où il n'y avait jamais assez à manger, les prisonniers recevaient un petit beignet (ou *bushta*) une fois par semaine. Hana ne mangeait jamais le sien. Elle l'apportait à George, pour qu'il devienne fort et qu'il demeure gentil.

Hana constatait que la population de Theresienstadt augmentait tous les jours. Dans les premiers temps, ces hommes, femmes et enfants provenaient de tous les coins de la Tchécoslovaquie. Plus tard, il en arriva aussi de différents pays d'Europe. Chaque fois qu'un nouveau groupe descendait du train, Hana cherchait des visages familiers. Et parfois, si elle en trouvait la force, elle abordait des inconnus :

– Connaissez-vous ma mère et mon père ? Êtesvous allés à un endroit qui s'appelle Ravensbrück ? C'est là où vit ma mère ! Avez-vous des nouvelles de Karel et Marketa Brady ?

Elle obtenait toujours la même réponse, mais les gens s'efforçaient de la ménager en lui disant avec une compassion à peine voilée :

– Non, ma belle, nous ne connaissons ni ta mère ni ton père. Mais si nous apprenons quoi que ce soit à leur sujet, nous viendrons te trouver pour te le dire.

Mais voilà qu'un jour Hana reconnut bel et bien un visage familier : une vieille amie de leurs parents qui n'avait pas d'enfant. Au début, la fillette fut ravie de la revoir. Tout ce qui lui rappelait la maison ou la rapprochait un tant soit peu de sa mère et de son père lui apportait du réconfort. Mais un changement se produisit tout à coup. Voilà qu'Hana ne pouvait plus aller nulle part sans trouver cette femme sur son chemin. Elle semblait l'attendre au moindre détour, lui pinçait les joues, lui donnait des baisers. Et puis, un jour, elle dépassa les bornes.

— Allez, viens, ma petite, lui dit-elle, la main tendue. Rappelle-toi tous les bons moments que nous avons vécus ensemble. Ne te gêne pas. Ne reste pas à t'ennuyer, seule dans ton coin. Tu peux venir me voir chaque jour. Tu peux m'appeler *maman*.

— J'ai déjà une maman ! glapit Hana. Allez-vous-en ! Laissez-moi tranquille !

Par la suite, Hana refusa de revoir cette femme. Elle s'ennuyait de sa propre mère, et personne ne pouvait la remplacer.

Terezin, juillet 2000

Au Musée du ghetto de Terezin, assise à son bureau, Ludmila regardait la jeune dame japonaise qui lui faisait face, perchée sur le bout de sa chaise. La ténacité et la détermination se lisaient clairement sur le visage de Fumiko. Ludmila trouvait celle-ci sympathique et voulait bien l'aider à en savoir plus sur cette jeune Hana Brady.

Elle retira un gros bouquin d'une tablette. Ce livre contenait une liste de tous les hommes, femmes et enfants qui avaient été emprisonnés à Theresienstadt, puis transférés à l'est, soit près de 90 000 noms. Tournant les pages, elles arrivèrent à la lettre B : Brachova, Hermina. Brachova, Zusana. Brada, Tomas. Bradacova, Marta. Bradleova, Zdenka.

– La voici ! s'écria Ludmila.

Effectivement, elle était bien là : Hana Brady, 16 mai 1931.

– Comment puis-je en apprendre davantage à son sujet ? s'enquit Fumiko.

– Je voudrais bien le savoir, soupira Ludmila.

581	Wolfenstein Helene	Haushalt	15. 6. 1890	Gr.Meseritsch Oberstadt 350	100716	*37581 AZ-315*
582	Wolfenstein Walter	Arbeiter	19.10. 1913	Gr.Meseritsch Oberstadt 350	100719	*37582 AZ-316*
583	Wolfenstein Sidonie	Schneiderin	10. 1. 1911	Gr.Meseritsch Oberstadt 350	100718	*37583 AZ-317*
584	Schuck Ing. Friedrich	Masch.Ing.	23. 6. 1891	Unter Bobrau 81	100646	*37584 AZ-318*
585	Drechsler Simon	Kaufmann	3. 8. 1915	Gr.Meseritsch Dalimilg.36	100463	*AZ-319*
586	Schnabel Rudolfine	Haushalt	20. 3. 1877	Unter Bobrau 81	100643	*37586 AZ-320*
587	Schuck MUDr. Ottokar	Arzt	4.11. 1894	Unter Bobrau 81	100649	*37587 AZ-321*
588	Schuck Edith	Haushalt	17. 8. 1907	Unter Bobrau 81	100641	*37588 AZ-322*
589	Schuck Ilsar	Schülerin	30. 3. 1930	Unter Bobrau 81	100643	*37589 AZ-323*
590	Schuck Zdenko	Schüler	31. 7. 1938	Unter Bobrau 81	100650	*37590 AZ-324*
591	Fein Anna	Private	9. 6. 1890	Neustadtl i.M.133	100491	*37591 AZ-325*
592	Lauer Irma	Hausgehilfin	21. 8. 1932	Teltsch Waldekg181 dzt.Trebitsch Iglauer Tor 1	100117	*37592 AZ-326*
593	Thierfeld Emma	Haushalt	13. 3. 1887	Stadt Saar 65	100636	*37593 AZ-327*
594	Schwartz Irene H.	Fotografin	3.13. 7.15	Stadt Saar 65	100654	*37594 AZ-328*
595	Thierfeld Paul	Arbeiter	16. 3. 1935	Stadt Saar 65	100633	*37595 AZ-329*
596	Brady Georg	Schüler	9. 2. 1928	Neustadtl i.M.13	100435	*37596 EK-825*
597	Brady Hana	Schülerin	16. 5. 1931	Neustadtl i.M.13	100436	*37597 ET-348*
598	Jillisch Anna	Haushalt	17. 1. 1901	Dachesetz 28 Brezejc	100714	*37598 AZ-338*
599	Blum Irene	Haushalt	15.10. 1891	Gr.Meseritsch Dalimilg.43	100433	*37599 Equ-416*
600	Dachsbaum Elsa	Haushalt	13.13. 1892	Gr.Meseritsch Dalimilg.43	100418	*37600 Es-372*

C'est en scrutant cette liste que Fumiko apprit
qu'Hana avait un frère.

– Ah, mais regardez donc, dit Fumiko, le doigt pointé sur une autre ligne.

Juste au-dessus du nom d'Hana était inscrit un autre Brady.

– Quelqu'un de sa famille, peut-être ? supposa Fumiko à haute voix.

Ludmila compara les dates de naissance : trois ans d'intervalle.

– Oui, répondit-elle, il y a de très bonnes chances que ce soit son frère. Les nazis regroupaient les familles sur les listes.

Quelque chose d'autre sauta aux yeux de Fumiko : le nom d'Hana était marqué d'un crochet. En fait, tous les noms de la page avaient été cochés, sauf un. Et cette unique exception était justement l'autre Brady, George Brady. Qu'est-ce que cela pouvait bien signifier ?

Theresienstadt, 1943-1944

Au fil des jours et des mois, Theresienstadt devint de plus en plus bondé et ses habitants étaient de plus en plus à l'étroit. De nouveaux convois arrivaient continuellement. En conséquence, les rations de nourriture diminuaient, les gens s'affaiblissaient et tombaient malades. Cette situation représentait plus de risques pour les plus vieux et les plus jeunes.

Il y avait un an déjà qu'elle vivait dans le ghetto quand Hana reçut un jour un message urgent de son frère : *Rendez-vous au dortoir des garçons à dix-huit heures. J'ai une merveilleuse surprise pour toi.*

George avait tellement hâte de lui transmettre la bonne nouvelle :

– Grand-maman est ici ! Elle est arrivée hier soir !

Les enfants débordaient de joie à l'idée de la revoir. Ils étaient pourtant un peu inquiets. Leur grand-mère était une femme raffinée qui aimait la culture et ne pouvait s'en passer une seule journée. Avant la guerre, elle vivait confortablement à Prague, la capitale du pays. C'est cette grand-maman généreuse qui leur avait fait cadeau de leurs trottinettes. Chaque fois qu'ils allaient lui rendre visite dans la grande ville, elle leur donnait des bananes et des oranges. Mais ces dernières années, elle avait été passablement malade. Comment se débrouillerait-elle ici, dans ce lieu sordide ? Pas trop bien, comme ils le constateraient bientôt.

Ils la trouvèrent dans un grenier surpeuplé au milieu de nombreux vieillards malades, avec seulement de la paille au sol en guise de matelas. On était à la mi-juillet et l'endroit était une véritable étuve. Les enfants furent horrifiés en constatant l'état épouvantable de leur grand-mère, jadis si élégante et distinguée : ses vêtements étaient déchirés et souillés, sa magnifique chevelure blanche, naguère toujours si parfaitement coiffée, était maintenant hirsute.

— Je vous ai apporté une de mes peintures, s'exclama Hana, pensant que cela amènerait peut-être un sourire aux lèvres de la vieille femme.

Mais c'est à peine si celle-ci pouvait bouger la tête. Alors, Hana plissa l'épais papier en accordéon et transforma son œuvre en éventail.

— Reposez-vous, dit-elle à la vieille dame en essayant de créer une brise rafraîchissante.

Hana essayait d'aider sa grand-mère à mieux se sentir, et cette responsabilité lui donnait une certaine fierté.

Elle apprit bientôt que les vieillards, à Theresienstadt, recevaient les plus petites et les pires rations de nourriture. Ce qui était donné à sa grand-mère

*Le baraquement des filles, aujourd'hui rénové,
où vivait Hana à Theresienstadt.*

était nettement insuffisant, et souvent infesté par la
vermine. Et on ne lui administrait aucun médica-
ment. Ses petits-enfants lui rendaient visite chaque
fois qu'ils le pouvaient et tentaient de lui remonter
le moral, lui apportant des objets d'artisanat qu'ils
avaient fabriqués, ou lui fredonnant des chansons
qu'ils avaient apprises.

— Cette mauvaise période va se terminer très
bientôt, lui assurait George.

— Maman et papa comptent sur nous, ajoutait
Hana. Nous devons tous conserver nos forces.

Mais après trois mois, leur grand-mère décéda.
À l'exception d'Hana et de George, peu de gens en
firent grand cas. La mort était omniprésente. En
fait, tant de gens mouraient si rapidement que le

cimetière était plein. Cramponnés l'un à l'autre, Hana et George s'efforcèrent de se rappeler les bons moments vécus avec leur grand-mère et ils pleurèrent ensemble.

Au fur et à mesure que de nouveaux prisonniers arrivaient à Terezin, des milliers d'autres quittaient les lieux. Entassés dans des wagons de marchandises, ceux qui partaient étaient expédiés plus à l'est vers un sort inconnu. Des rumeurs sur ces déplacements se répandaient à l'intérieur des murs de Theresienstadt. Certains tentaient de se persuader, et de convaincre les autres, qu'une vie meilleure attendait ceux qui étaient ainsi expédiés au loin dans les trains. Mais avec le temps, des histoires d'horreur se mirent à circuler de partout : on parlait de camps de la mort, de brutalité, d'assassinats de masse. Lorsqu'elle entendait de tels propos, Hana se bouchait les oreilles.

Périodiquement, à deux ou trois semaines d'intervalle, les listes redoutées étaient affichées dans chaque bâtiment. Ceux dont les noms s'y trouvaient devaient se présenter à un lieu de rassemblement situé près de la gare de chemin de fer, dans un délai de deux jours.

Des listes. Il y en avait partout. Les nazis étaient très méthodiques dans leur tenue de dossiers et s'assuraient que tous leurs prisonniers le sachent. Ils passaient leur temps à compter les gens et à dresser des listes de noms, rappelant ainsi aux détenus que c'étaient eux qui commandaient. Chacun savait pertinemment que d'être compté, ou de se faire remarquer, pouvait signifier un déplacement, c'est-à-dire une nouvelle séparation de sa famille et de ses amis.

Un matin qu'Hana vaquait à ses corvées, un ordre général fut donné : tous – les vieux comme les jeunes – devaient cesser les activités en cours et se rassembler dans un immense champ à l'extérieur des murs. Des gardes nazis armés de mitraillettes les firent sortir au pas militaire, et on leur ordonna de rester plantés là, sans eau ni nourriture, avec le pressentiment qu'un événement terrifiant allait se produire. Hana et les autres filles n'osaient même pas chuchoter entre elles.

Hana ne pouvait supporter l'idée d'être éventuellement séparée de George. Ou des autres filles du *Kinderheim* L410, qui étaient devenues pour elle comme des sœurs. Déjà que ses parents lui avaient été arrachés ! Est-ce que cela ne suffisait pas ? À ses côtés, Ella essayait de lui remonter le moral par des sourires et des clins d'œil. Mais après quatre heures, debout dans le champ, incapable de contenir son désespoir, Hana se mit à pleurer.

Ella lui glissa un minuscule morceau de pain qu'elle avait caché dans son manteau.

– Mange ça, Hana, implora-t-elle doucement. Tu vas te sentir mieux.

Mais les larmes de la fillette ne tarissaient pas. Sa grande copine se tourna alors vers elle.

– Écoute-moi bien, chuchota-t-elle. Tu es malheureuse et tu as peur. C'est exactement l'état dans lequel les nazis souhaitent nous voir, tous tant que nous sommes. Eh bien, il n'est pas question que tu leur fasses ce plaisir. Pas question de leur donner ce qu'ils veulent. Nous sommes plus fortes et nous valons mieux que ça. Tu dois sécher tes larmes, Hana, et afficher un visage courageux.

Et par miracle, Hana y réussit.

Le commandant nazi se mit à crier des noms. Chaque prisonnier fut passé en revue. Finalement, après avoir été immobiles, debout, pendant huit heures, par un vent glacial, les prisonniers reçurent l'ordre de regagner leurs baraquements, toujours au pas militaire.

En septembre 1944, lorsque les nazis commencèrent à se rendre compte qu'ils perdaient la guerre, ils annoncèrent une augmentation du nombre de personnes qui quitteraient Theresienstadt. La fréquence des déplacements s'accéléra. Dorénavant, une nouvelle liste de noms paraissait chaque jour.

Tous les matins, le cœur battant, Hana courait à l'entrée principale du bâtiment, où la liste était affichée. Et un jour, elle le vit, le nom qu'elle avait toujours redouté d'y trouver: George Brady. Les genoux flageolants, elle se laissa tomber par terre en sanglotant. George, son frère bien-aimé, son protecteur, était expédié au loin, vers l'est. Le garçon, maigre et nerveux, était devenu un jeune homme, et, avec deux mille autres hommes au corps robuste, il allait devoir se présenter à la gare.

Lors de leur dernière rencontre, sur le chemin de terre qui reliait le baraquement des garçons et le *Kinderheim* L410, George invita Hana à l'écouter attentivement.

— Je pars demain, dit-il. Maintenant, plus que jamais, tu dois manger tout ce que tu peux. Il faut que tu respires de l'air frais à la moindre occasion. Tu dois prendre soin de ta santé. Sois forte. Tiens, voilà ma dernière ration. Mange-la jusqu'à la dernière miette.

George prit Hana dans ses bras et la serra très fort, puis il repoussa délicatement les cheveux qui lui retombaient dans les yeux.

— J'ai juré à maman et à papa que je prendrais soin de toi, ajouta-t-il, et que je te ramènerais à la maison saine et sauve, pour que toute la famille soit enfin réunie. Je ne veux pas manquer à ma promesse.

Le sifflement strident du couvre-feu retentit alors et George s'en alla.

Hana sombra dans la déprime. Elle ne supportait pas la séparation d'avec son frère. D'abord ses parents, puis George, maintenant. Elle se sentait atrocement seule au monde. Parfois, quand les autres filles essayaient de lui remonter le moral, Hana leur tournait le dos. Elle allait même jusqu'à les repousser avec rudesse :

— Vous ne pourriez pas me laisser tranquille, enfin ?

Seule la douce Ella parvenait à la convaincre d'avaler ses maigres rations.

— Rappelle-toi ce que t'a dit ton frère. Tu dois prendre soin de toi et demeurer forte — pour lui.

Quatre semaines plus tard, Hana apprit qu'elle partait à son tour vers l'est. Des retrouvailles !

— Je vais revoir George, dit-elle à tout le monde. Il m'attend.

Elle courut à la recherche d'Ella.

— Peux-tu m'aider ? Je veux être belle quand je reverrai mon frère. Je veux lui montrer comme j'ai bien pris soin de moi-même.

Mettant de côté ses propres craintes, Ella accepta d'entretenir l'espoir de sa jeune amie. Souriant à Hana, elle se mit à l'ouvrage. Elle alla puiser de l'eau à la pompe et, à l'aide de son dernier petit carré de savon, elle lui lava le visage et nettoya ses cheveux sales et noueux. Avec un bout de chiffon, elle attacha les cheveux d'Hana en queue de cheval. Elle lui pinça les joues pour les rougir un peu. Puis elle recula pour mesurer le résultat de ses efforts. Le visage d'Hana rayonnait d'espoir.

— Merci, Ella, dit-elle en embrassant son aînée. Je ne sais pas ce que je ferais sans toi.

Pour la première fois depuis le départ de George, elle paraissait heureuse.

Ce soir-là, Hana fit sa valise. Il n'y avait pas grand-chose à y mettre : quelques vêtements élimés, un de ses dessins préférés, réalisé pendant les cours d'arts plastiques de Friedl, et un livre d'histoires que lui avait donné Ella. Ses bagages prêts, Hana grimpa dans son lit et s'endormit pour sa dernière nuit à Theresienstadt.

Le lendemain matin, Hana et un grand nombre de prisonnières du *Kinderheim* L410 furent menées jusqu'à la voie ferrée sous escorte militaire. Des gardes nazis aboyaient des ordres et leurs chiens montraient les dents en rugissant. Personne ne s'écarta de la file.

— Où penses-tu que nous allons ? chuchota Hana à Ella.

Personne ne le savait vraiment. Une par une, les filles montèrent dans le sombre wagon, jusqu'à ce qu'il n'y reste plus un seul centimètre d'espace. L'air devint irrespirable. Et les roues commencèrent à tourner.

Le train roula tout le jour et toute la nuit suivante. Pas de nourriture. Pas d'eau. Pas de toilettes. Les filles n'avaient pas la moindre idée de la durée du voyage. Elles avaient la gorge desséchée, les os leur faisaient mal et leur estomac criait famine.

Elles tentaient de se réconforter en chantant des chansons du temps de leur vie passée.

— Appuie-toi sur moi, dit Ella doucement, et écoute, Hana.

Donc, s'il m'arrive d'avoir les bleus,
Je songe à la dame aux mille pattes !
Je m'imagine dans ses savates
Et voilà que je me sens mieux !

Main dans la main, les yeux fermés, les filles essayaient de s'imaginer ailleurs. Chacune se représentait quelque chose de différent. Pour sa part, Hana voyait le visage fort et souriant de son frère.

Soudain, au beau milieu de la nuit du 23 octobre 1944, les roues du train freinèrent brusquement dans un crissement strident. Les portes s'ouvrirent. Les filles reçurent l'ordre de quitter le wagon. Elles étaient arrivées à Auschwitz.

Un garde furieux leur ordonna de se tenir droites et en silence sur le quai. Sa main tenait fermement la laisse d'un gros chien dressé à bondir sur elles. Il inspecta rapidement le groupe, puis fit claquer son fouet en direction d'une fille plus âgée qu'Hana, qui s'était toujours sentie gênée parce qu'elle était très grande.

– Toi, lui dit-il, viens par-là, à droite !

D'un second claquement de fouet, il désigna une autre fille, parmi les plus vieilles.

– Viens par-là, toi aussi !

Puis il interpella un groupe de jeunes soldats qui attendaient plus loin, au bout du quai.

– Emmenez-les, ordonna-t-il en pointant du doigt Hana et le reste de son groupe. Tout de suite !

Des lampes de poche se braquèrent sur les filles, les aveuglant presque.

– Laissez vos valises sur le quai, commandèrent les soldats.

Traversant un portail de fer forgé, sous le regard hargneux des chiens et des hommes en uniforme, Hana et ses compagnes de dortoir quittèrent la gare en marchant au pas. Hana serrait très fort la main d'Ella. Elles longèrent d'immenses baraques, aperçurent le visage cadavérique de prisonniers en uniforme rayé qui les regardaient franchir l'entrée du camp. Elles reçurent alors l'ordre de pénétrer dans un grand bâtiment. La porte se referma derrière elles dans un bruit épouvantable.

Terezin,
juillet 2000

« Les noms sont cochés, remarqua Fumiko en scrutant la page où étaient inscrits Hana et George Brady. Que signifient ces crochets ? »

Après une légère hésitation, Ludmila répondit, en choisissant ses mots :

– Un crochet signifie que la personne n'a pas survécu.

Fumiko reporta les yeux sur le document. Le nom d'Hana était coché. Comme la plupart des 15 000 enfants qui avaient transité par Theresienstadt, Hana était morte à Auschwitz.

Fumiko baissa la tête et ferma les yeux. Elle avait déjà deviné l'atroce vérité. Mais à l'entendre de vive voix, à la voir écrite noir sur blanc, elle reçut tout de même un choc. Elle demeura silencieuse sur sa chaise pendant quelques minutes, essayant de digérer toutes ces informations.

Puis, rassemblant son énergie, elle releva la tête. L'histoire d'Hana n'était pas finie pour autant. Plus que jamais, Fumiko était avide de tout connaître à son sujet – pour elle-même, pour les enfants qui attendaient son retour, au Japon, et pour perpétuer le souvenir d'Hana. Elle voulait absolument que cette vie, qui avait pris fin de façon aussi injuste et à un âge aussi jeune, ne soit pas oubliée. Et sa mission était de s'en assurer : la recherche n'était pas terminée.

— Il n'y a pas de crochet à côté du nom de George, remarqua-t-elle. N'y aurait-il pas moyen de savoir ce qui lui est arrivé ? Où il est allé ? Et s'il est toujours vivant ?

Elle était si frémissante d'excitation qu'elle en bégayait. « Si je pouvais seulement le retracer, songeait-elle, que de renseignements supplémentaires il pourrait me donner sur Hana ! »

Par-delà son bureau, Ludmila lui jeta un regard mélancolique. Elle voyait bien à quel point Fumiko voulait savoir.

— Je n'ai aucune idée de ce qui lui est arrivé, répondit-elle doucement. Il y a si longtemps que la guerre a eu lieu, voyez-vous. Il pourrait se trouver n'importe où dans le monde. Et même avoir changé son nom, qui sait ? Il se peut aussi qu'il soit mort, longtemps après la guerre.

— S'il vous plaît, supplia Fumiko. Vous devez m'aider à le retrouver.

La femme soupira et revint vers les rayons où s'entassaient des volumes reliés contenant des listes de noms.

— On peut continuer à chercher des indices dans ces documents, dit-elle.

Pendant une heure, Fumiko et Ludmila consultèrent des livres et des livres remplis de noms, à la recherche d'une nouvelle mention de George Brady. Finalement, leur persévérance fut récompensée.

George Brady était inscrit sur la liste des occupants du *Kinderheim* L417, le baraquement des garçons à Theresienstadt. Les noms étaient regroupés six par six, les garçons dormant deux par matelas dans des lits à trois étages. Lorsque Ludmila vérifia les noms listés avec George Brady, elle sursauta.

– Kurt Kotouc, murmura-t-elle en regardant Fumiko. Kurt Kotouc. Le nom me dit quelque chose. Cet homme vit encore. Je pense que celui qui partageait le lit de George habitait à Prague il n'y a pas si longtemps. Où exactement, je n'en sais rien. Mais si nous parvenons à le retracer, peut-être sera-t-il en mesure de vous renseigner sur le frère d'Hana. Malheureusement, je ne peux rien faire de plus pour vous ici. Adressez-vous au Musée juif de Prague. Peut-être quelqu'un là-bas pourra-t-il vous aider.

Fumiko inonda Ludmila de remerciements, reconnaissante de tout ce qu'elle avait fait. Elle l'embrassa et promit de la tenir au courant des développements de son enquête. Ludmila lui souhaita bonne chance. Soulevant sa serviette, Fumiko sortit alors du bureau en courant pour regagner la place, où l'autobus qui la ramènerait à Prague n'allait pas tarder à arriver.

Prague,
juillet 2000

Fumiko n'avait que quelques heures à consacrer à sa recherche avant la fermeture des bureaux. Son avion pour le Japon partait tôt le lendemain matin. Elle n'avait pas sitôt mis pied à terre en descendant de l'autobus, à Prague, qu'elle hélait un taxi.

— Au Musée juif, s'il vous plaît, dit-elle en reprenant son souffle.

Le Musée juif de Prague allait fermer pour la journée lorsqu'elle y arriva. Le gardien lui conseilla de revenir le lendemain.

— Mais je ne peux pas, plaida Fumiko. Il faut que je retourne au Japon, demain matin. Je suis venue voir Michaela Hajek. Elle m'a aidée à trouver des dessins très importants.

Comme le gardien ne semblait pas vouloir se laisser convaincre, Fumiko fit une petite entorse à la vérité :

— Elle m'attend, affirma-t-elle avec assurance.

Et il lui permit d'entrer.

Cette fois, la chance lui sourit. Michaela était dans son bureau et se souvenait de l'histoire d'Hana.

Elle écouta attentivement Fumiko, qui lui rapporta tout ce qu'elle avait trouvé jusque-là.

– J'ai entendu parler de Kurt Kotouc, dit Michaela, doucement, et je vais vous aider à le trouver.

Elle avait compris que Fumiko n'avait pas de temps à perdre.

Celle-ci pouvait à peine y croire. Tandis qu'elle attendait patiemment sur sa chaise, Michaela entreprit une série d'appels téléphoniques. Chaque interlocuteur la renvoyait à un nouveau numéro et lui souhaitait bonne chance dans sa recherche. Elle trouva enfin le bureau où M. Kotouc travaillait comme historien d'art. Elle tendit le combiné à Fumiko, qui tenta d'expliquer l'objet de sa recherche. La secrétaire était bien prête à l'aider, mais M. Kotouc partait le soir même pour un voyage outre-mer.

– Je suis désolée, dit-elle à Fumiko, mais M. Kotouk ne pourra pas vous rencontrer. Non, il n'aura même pas le temps de vous parler au téléphone.

Voyant la déception qui assombrissait le visage de Fumiko, Michaela reprit le combiné et se mit à argumenter avec la secrétaire :

– Vous ne pouvez pas savoir à quel point cette jeune femme est désespérée. Elle retourne au Japon demain matin. C'est sa seule chance…

Tant et si bien que la secrétaire finit par céder.

Deux heures plus tard, la nuit était tombée et le musée avait fermé ses portes pour la nuit. Les membres du personnel étaient tous retournés chez eux ; toutefois, une lumière joyeuse éclairait l'un des bureaux. C'est là que Fumiko et Michaela attendaient M. Kotouc.

Il arriva enfin. C'était un homme à la carrure solide et à l'œil brillant, qui en avait beaucoup à raconter.

– Je n'ai qu'une petite demi-heure à vous consacrer avant de partir pour l'aéroport, dit-il. Bien sûr que je me souviens de George Brady. Nous partagions une paillasse à Theresienstadt, et bien d'autres choses encore. Les liens que l'on tisse dans un endroit comme Theresienstadt ne s'oublient jamais. Mais ce n'est pas tout, ajouta-t-il. Nous sommes toujours amis. Il habite à Toronto, au Canada.

M. Kotouc sortit un carnet en cuir.

– Tenez, dit-il avec un sourire, voilà ce que vous cherchez.

Il inscrivit l'adresse de George Brady sur un papier et le tendit à Fumiko.

– Oh ! Monsieur Kotouc, s'écria celle-ci, jamais je ne pourrai assez vous remercier !

– Bonne chance ! lui dit-il. Je suis tellement content que les enfants du Japon veuillent comprendre l'Holocauste et en tirer des leçons.

Sur ces paroles, un M. Kotouc pressé s'envola littéralement du bureau, bagages en main. La joie de Fumiko rayonnait sur son visage. Toute sa persévérance avait fini par porter fruit. Elle exprima à Michaela combien elle lui était reconnaissante de son aide.

Le lendemain matin, en s'installant dans son siège pour le long vol vers le Japon, Fumiko vibrait encore d'excitation. Elle ressassait toutes les nouvelles qu'elle rapportait aux enfants du Centre. Se souvenant qu'Hana avait un grand frère, elle ne pouvait s'empêcher de penser à sa propre petite sœur, de trois ans sa cadette. Fumiko avait toujours été sa protectrice et elle tentait d'imaginer comment elle réagirait si sa petite sœur était en danger. Cette simple pensée la faisait tressaillir. Son regard dériva au-delà du hublot, alors qu'elle revivait toute cette histoire dans sa tête, encore et encore. Après une heure, elle s'endormit profondément, pour la première fois depuis longtemps.

Tokyo,
août 2000

De retour à Tokyo, Fumiko convoqua une réunion spéciale des Petites Ailes. Elle leur raconta en détail toutes les péripéties de son aventure. Les mauvaises nouvelles en premier. Les enfants formant un cercle autour d'elle, Fumiko confirma d'une voix grave ce qu'ils soupçonnaient déjà : Hana était morte à Auschwitz.

— Mais j'ai une merveilleuse surprise pour vous, ajouta-t-elle, et le visage des enfants s'illumina. Hana avait un frère qui s'appelait George. Et lui, il a survécu !

Ce qui déclencha une foule de questions.

— Où est-il ? demanda Maiko.

— Il a quel âge ? voulut savoir un garçon.

— Est-ce qu'il sait que nous avons la valise d'Hana ? s'enquit Akira.

Fumiko leur dit tout ce qu'elle savait et leur promit de rester au bureau plus tard, ce soir-là, pour écrire à George.

— Si nous envoyions quelque chose avec la lettre ? suggéra Maiko.

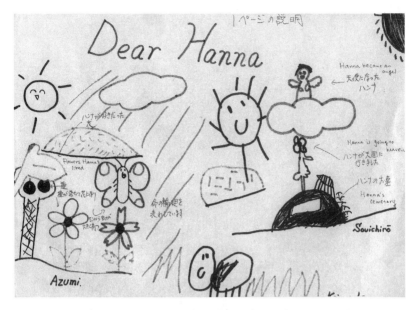

*Un hommage à Hana par les enfants du Centre de l'Holocauste. Ils gardèrent l'orthographe **Hanna**, parce que c'est ainsi que son nom était écrit sur la valise.*

Les enfants plus vieux s'éparpillèrent dans des coins tranquilles du Centre pour composer des poèmes.

— Et moi, qu'est-ce que je peux faire ? demanda Akira à Maiko.

— Tu pourrais dessiner un portrait d'Hana.

— Mais je ne sais pas de quoi elle a l'air, dit-il.

— Dessine-la comme tu l'imagines, tout simplement, conseilla Maiko.

Et c'est ce que fit Akira.

Pour sa part, Fumiko rédigea sa lettre avec beaucoup d'attention. Elle devinait le choc qu'aurait George en la recevant. Elle savait que certains survivants de l'Holocauste refusaient à tout jamais de reparler de leurs expériences. Peut-être gardait-il des souvenirs si amers et si douloureux qu'il ne voudrait rien savoir de la valise d'Hana ou du Centre de l'Holocauste, au Japon.

Fumiko fit des photocopies des dessins d'Hana et les emballa soigneusement, en y joignant les écrits et les œuvres des membres des Petites Ailes. Puis elle se rendit au bureau de poste, se croisa les doigts et expédia le paquet au Canada.

Toronto (Canada), août 2000

C'était un après-midi du mois d'août, tiède et ensoleillé. George Brady, âgé de soixante-douze ans, était rentré du travail plus tôt qu'à l'accoutumée, dans l'intention de passer un après-midi tranquille dans la maison déserte et de régler des factures. Il était assis à la table de la salle à manger lorsqu'il entendit le pas du facteur, le bruissement des enveloppes qui glissaient par la fente et le bruit mat qu'elles faisaient en tombant sur le sol. Puis la sonnette retentit.

Lorsqu'il ouvrit la porte, le facteur lui tendit un paquet.

– Ça ne rentrait pas, expliqua-t-il.

Le cachet de la poste indiquait que le paquet venait du Japon. « Qu'est-ce que ça peut bien être ? » s'étonna George, qui ne connaissait personne dans ce pays.

Lorsqu'il ouvrit le paquet et qu'il commença à lire la lettre, son cœur se mit à battre la chamade. Il ferma les yeux, les rouvrit, cligna à quelques reprises pour s'assurer que ce qu'il lisait était bel et bien vrai. Était-il en train de rêver tout éveillé ?

La perte de sa sœur Hana était la douleur la plus profonde et la plus intime de George. Depuis plus d'un demi-siècle qu'il vivait avec ce deuil, jamais il n'avait pu se défaire de l'impression qu'il aurait dû être capable de protéger sa petite sœur.

Et voilà qu'à l'autre bout du monde on racontait l'histoire d'Hana en rendant hommage à sa vie. Sidéré, George s'assit et laissa son esprit retourner cinquante-cinq ans en arrière.

George Brady avait dix-sept ans à la libération d'Auschwitz. Il avait survécu aux horreurs du camp, d'abord parce qu'il était jeune et fort, puis parce qu'il avait eu de la chance, et enfin parce qu'il pratiquait la plomberie, le métier qu'il avait appris à Theresienstadt. Lorsqu'il recouvra la liberté, il était très affaibli et d'une maigreur qui faisait peine à voir. Mais il était déterminé à reprendre le chemin de Nove Mesto – dans le but de retrouver ses parents et sa petite sœur Hana. Il voulait désespérément que sa famille soit à nouveau réunie.

À pied, en train et en faisant du stop, il finit par rentrer au bercail en mai 1945. Il fila tout droit chez oncle Ludvik et tante Hedda. C'était la dernière maison où il avait eu une famille, de l'amour et un sentiment de sécurité. Apercevant leur neveu dans l'embrasure de la porte, l'oncle et la tante se jetèrent sur lui pour le serrer dans leurs bras, l'embrasser, le toucher. Ils pleuraient de joie, pouvant à peine croire qu'il était vivant.

George Brady, aujourd'hui.

Mais l'euphorie effrénée de ces retrouvailles fut de courte durée.

– Où sont maman et papa ? voulut savoir George.

Ludvik et Hedda furent forcés de lui apprendre la terrible vérité. Marketa avait été transférée de Ravensbrück à Auschwitz, où elle avait été assassinée en 1942. Karel avait été tué au même endroit, la même année.

– Et Hana ? s'enquit George dans un murmure.

Tout ce que savaient sa tante et son oncle, c'est qu'elle avait été envoyée à Auschwitz.

Pendant des mois, George nourrit le faible espoir de retrouver un jour Hana – quelque part, il ne savait trop où ni comment, elle allait apparaître. Il la cherchait dans le visage des jeunes filles qu'il croisait, dans les queues de cheval qui fouettaient l'air sur son passage, dans l'allure joyeuse des enfants en santé qui sautillaient dans la rue.

Un jour qu'il longeait la rue principale, à Prague, George croisa une adolescente. Elle s'arrêta devant lui.

— George ? fit-elle. N'êtes-vous pas George Brady, le frère d'Hana ? Mon nom est Marta. Je connaissais Hana. Nous étions un groupe de filles un peu plus âgées qu'elles, à Theresienstadt, et nous l'aimions toutes.

George fouilla le regard de Marta pour en savoir davantage, pour y puiser de l'espoir. La jeune fille se rendit compte que George ignorait encore toute la vérité au sujet de sa sœur.

Elle lui saisit les mains et lui dit doucement, mais sans ambages :

— George, Hana a été envoyée dans la chambre à gaz d'Auschwitz, pour être tuée, le jour même où elle y est arrivée. Je suis désolée, George. Hana est morte.

George sentit ses jambes se dérober sous lui et le monde devint noir.

Toronto,
août 2000

Depuis le moment, un demi-siècle plus tôt, où George avait appris le triste destin de ses parents et de sa sœur, bien des choses s'étaient passées. À dix-sept ans, il avait quitté Nove Mesto pour aller vivre dans diverses villes d'Europe, conservant précieusement son unique trésor – la boîte de photos de famille qu'oncle Ludvik et tante Hedda avaient cachée pour lui. Puis, au début de l'année 1951, il avait déménagé à Toronto et créé une entreprise de plomberie, en partenariat avec un autre survivant de l'Holocauste. Cette entreprise avait eu beaucoup de succès. George s'était marié, était devenu le papa de trois garçons et, beaucoup plus tard, il avait aussi eu une fille.

Ainsi, malgré tous les sévices endurés pendant l'Holocauste, malgré l'extermination par les nazis de sa mère, de son père et de sa sœur, George avait réussi à aller de l'avant dans la vie, et il en était fier. Homme d'affaires prospère et père de famille heureux, il se considérait comme une personne saine qui avait laissé derrière elle ses expériences du temps de la guerre, du moins la plus grande partie. Mais ses réalisations et les joies qu'il ressentait s'accompagnaient toujours d'un pincement au cœur à l'évocation de sa jolie petite sœur et de l'horrible destin qui avait été le sien.

Et voilà qu'une lettre, qui avait parcouru la moitié de la circonférence de la terre, lui apprenait comment la valise de sa sœur aidait une nouvelle génération de jeunes Japonais à se renseigner sur l'Holocauste. La lettre de Fumiko faisait aussi, très délicatement, appel à son aide.

> *Veuillez me pardonner si ma lettre vous fait mal en évoquant des expériences pénibles. Mais j'apprécierais beaucoup que vous ayez la gentillesse de nous raconter votre histoire et celle d'Hana. Nous aimerions que vous nous parliez de vos années avec elle, avant que l'on vous envoie au camp, des choses dont vous discutiez ensemble, de vos rêves et des siens. Nous sommes intéressés par tout ce qui permettrait aux enfants, ici au Japon, de se sentir proches de vous et d'Hana. Nous voulons comprendre ce que les préjugés, l'intolérance et la haine ont fait aux jeunes enfants juifs.*

> *Si possible, je vous serais reconnaissante de nous prêter des objets commémoratifs, des photos de votre famille, par exemple. Je sais que la plupart des survivants de l'Holocauste ont perdu leurs photos, en même temps que leur famille. Mais si vous en aviez, elles nous*

aideraient beaucoup à réaliser notre objectif : fournir à chaque enfant du Japon l'occasion de savoir ce que fut l'Holocauste. Nous, du Centre de l'Holocauste de Tokyo, ainsi que les membres des Petites Ailes, nous nous réjouissons tant de savoir qu'Hana avait un frère et qu'il a survécu.

La lettre était signée : *Fumiko Ishioka.*

George avait peine à y croire. Ce réseau insolite de liens étonnants et de coïncidences bizarres avait réuni trois mondes : celui des enfants au Japon, celui de George au Canada, et l'univers disparu d'une petite fille juive de la Tchécoslovaquie, morte depuis si longtemps. George essuya les larmes qui inondaient ses joues et sourit en lui-même. Il revoyait si clairement le jeune visage d'Hana. Il pouvait quasiment l'entendre rire et sentir sa douce main dans la sienne. D'une grosse commode en bois, George sortit un album de photos. Il voulait prendre contact avec Fumiko Ishioka aussitôt que possible.

ホロコースト教育資料センター
Tokyo Holocaust Education Resource Center

~For Children, Builders of Peace

〒160-0015 東京都新宿区大京町28-105
TEL:03-5363-4808 FAX:03-5363-4809
28-105 Daikyo-cho,Shinjuku-ku Tokyo,160-0015 JAPAN
TEL:+81-3-5363-4808 FAX:+81-3-5363-4809
E-mail : Holocaust@Tokyo.email.ne.jp
Homepage : http://www.ne.jp/asahi/holocaust/tokyo

Mr. George Brady
23 Blyth Hill Road
Toronto 12, M4N 3L5
CANADA

August 22, 2000

Dear Mr. Brady,

We take a liberty of addressing and telling you about our activities in Japan. My name is Fumiko Ishioka and I am Director of Tokyo Holocaust Education Resource Center. In July this year I met with Mr. Kurt Jiri Kotouc in Prague and I got your address from him. The reason why I am writing to you is because we are now exhibiting your sister, Hanna Brady's suitcase at our Center. Please forgive me if my letter hurts you reminding you of your past difficult experiences. But I would very much appreciate it if you could kindly spare some time to read this letter.

Please let me start with a little explanation on what we do in Japan. Tokyo Holocaust Education Resource Center, established in October 1998, is a non-profit, educational organization that aims at further promoting understanding of the history of the Holocaust especially among young children in this country. Children here do not have a chance to learn about the Holocaust, but we believe it is our responsibility too to let our next generation learn the lessons of the Holocaust so that such a tragedy would never be repeated again anywhere in the world. As well as learning the truth of the Holocaust, it is also very important for children, we believe, to think about what they can do to fight against racism and intolerance and to create peace by their own hands.

Besides welcoming children at our Center for exhibition and study programs, this year we organized a pair of traveling exhibition, "The Holocaust Seen Through Children's Eyes" in order to reach more children living far from our Center. For this project, we borrowed some children's memorial items from individuals and museums in Europe, one of which is Hanna Brady's suitcase from the museum of Auschwitz. Many children are now visiting our Center to see this suitcase to learn about the Holocaust. In June, furthermore, we held the Children's Forum on the Holocaust 2000, where our Center's children's group "Small Wings" did a little opening performance on Hanna's suitcase. "Small Wings" is a group of children, aged from 8 to 18, who write newsletters and make videos to let their friends know about the Holocaust and share what they learn from it. At the Forum they decided to use Hanna's suitcase to do an introduction for their friends who have never heard of the Holocaust. It successfully helped participants of the Forum focus on one little life, among one and a half million, lost during the Holocaust, and think about importance of remembering this history.

When I received the suitcase from the museum of Auschwitz, all the information I had were things written on the suitcase, her name and her birthday, and from the Terezin memorial book I got the date when she was deported to Auschwitz. I could also find 4 of her drawings from Terezin. But that was all. Hoping to get more information on Hanna, I went to Terezin in July, when I found your name on the list I got from the ghetto museum and heard that you survived. I was then so lucky to find Mr.Kotouc in Prague and met with him, from whom I heard you now live in Toronto. Those children of "Small Wings" were all so excited to know Hanna had a brother and he survived.

I was wondering if you would kindly be able to tell us about you and Hanna's story, the time you spent with Hanna before sent to the camp, things that you talked with her, you and her dreams, and anything that would help children here feel close to you and Hanna to understand what prejudice, intolerance and hatred did to young Jewish children. If possible, I would be grateful if you could lent us any kind of memorial items such as your family's photo, and so on. It will greatly help us further promote our goal to give every child in Japan a chance to learn about the Holocaust.

Thank you very much for your time. I would very much appreciate your kind understanding for our activities.

I look forward to hearing from you.

With kindest regards,

Fumiko Ishioka
Director
Tokyo Holocaust Education Resource Center

La lettre que Fumiko adressa à George.

Tokyo, septembre 2000

Depuis qu'elle avait posté la lettre à Toronto, Fumiko était un vrai paquet de nerfs. George Brady répondrait-il ? Les aiderait-il à connaître Hana ? Même le facteur qui livrait le courrier au Centre connaissait l'anxiété de Fumiko. Dès que celle-ci le voyait remonter l'allée vers la porte de façade, elle l'interpellait :

– M'apportez-vous quelque chose du Canada, aujourd'hui ?

Il détestait la déception qu'il lisait sur son visage quand, jour après jour, il lui répondait *non*.

Or, le dernier jour du mois, alors que Fumiko était en train de souhaiter la bienvenue à une quarantaine d'invités – des enseignants et des élèves venus au Centre pour entendre parler de l'Holocauste et voir la valise d'Hana –, elle aperçut, du coin de l'œil, le facteur qui marchait à grands pas, un large sourire aux lèvres. Elle s'excusa et courut à sa rencontre.

– La voilà ! s'exclama-t-il, rayonnant, en lui tendant une épaisse enveloppe en provenance de Toronto.

– Oh merci ! s'écria Fumiko. Merci d'avoir ensoleillé ma journée !

Elle prit la lettre et alla l'ouvrir dans son bureau.
Comme elle dépliait les feuillets, des photos s'en
échappèrent. Quatre photos d'Hana, dont les cheveux blonds brillaient autour de son visage souriant.

Hana.

Fumiko poussa un cri. Elle fut incapable de le retenir. Des enseignants et des élèves en visite au musée se ruèrent à la porte de son bureau.

– Que se passe-t-il ? Est-il arrivé un malheur ?

– Non, pas un malheur ! leur dit-elle, en butant sur les mots. Un grand bonheur. Je suis tout excitée. Regardez ! Voici une photo d'Hana ! La voici, cette jolie petite fille dont l'histoire nous intriguait tant... et que nous avons travaillé si fort à retracer.

Une longue lettre de George accompagnait les photos. Fumiko y apprit beaucoup de choses : les jours heureux qu'avait vécus Hana à Nove Mesto pendant son enfance, qui était la famille Brady, à quel point la fillette aimait le ski et le patin. C'était réconfortant de savoir qu'Hana avait eu une vie agréable avant que la guerre ne vienne tout gâcher.

George parlait aussi de lui-même. Au fur et à mesure qu'elle lisait ce qu'il lui racontait de sa vie au Canada, de ses enfants et de ses petits-enfants, Fumiko sentait son cœur se gonfler de bonheur. Elle se mit à pleurer. «Il a survécu, ne cessait-elle de se répéter. Il a survécu. Mieux encore, il a une famille magnifique.» Il lui tardait de partager ces bonnes nouvelles avec les Petites Ailes.

Tokyo,
mars 2001

« Du calme ! dit Fumiko en souriant. Ils seront bientôt là, je vous l'assure. »

Mais elle avait beau parler, rien ne pouvait contenir l'excitation des enfants ce matin-là. Incapables de tenir en place, ils bourdonnaient à travers le Centre, vérifiaient s'ils savaient bien leurs poèmes, redressaient leur tenue pour la énième fois et se faisaient des farces stupides pour passer le temps. Même Maiko, chargée de calmer les autres, sursautait à propos de tout et de rien.

Et puis enfin, l'attente se termina. George Brady arrivait, et il avait emmené avec lui sa fille, Lara-Hana, âgée de dix-sept ans.

Du coup, les enfants devinrent calmes et silencieux. À l'entrée du Centre, ils s'assemblèrent autour de George et s'inclinèrent devant lui, selon la coutume japonaise. George leur rendit leur salut en s'inclinant à son tour. Akira lui offrit alors une magnifique guirlande multicolore fabriquée selon la technique de l'origami. Les enfants se bousculaient doucement, chacun voulant avoir la chance de se rapprocher de lui. Après avoir entendu Fumiko parler de George pendant de si longs mois, ils étaient enchantés de le rencontrer enfin en chair et en os.

Fumiko prit le bras de George.

– Venez avec nous, maintenant, venez voir la valise de votre sœur.

Ils se dirigèrent vers l'endroit où étaient exposés les objets. Et là, entouré des enfants, de Fumiko qui lui tenait la main, et de sa fille Lara, George vit la valise pour la première fois depuis plus d'un demi-siècle.

Une grande tristesse l'envahit tout à coup, presque insoutenable. Devant lui se trouvait la valise qui avait appartenu à sa petite sœur, avec son nom écrit dessus. Hana Brady. Sa jolie petite sœur, forte, espiègle, généreuse, qui aimait tant avoir du plaisir, morte si jeune et d'une manière aussi horrible. Baissant la tête, George laissa couler ses larmes en toute liberté.

Mais quelques minutes plus tard, lorsqu'il releva les yeux, il vit sa fille. Il vit aussi Fumiko, qui avait travaillé d'arrache-pied pour le retrouver et pour reconstituer l'histoire d'Hana. Il vit enfin le visage rempli d'expectative de tous ces jeunes Japonais pour qui sa sœur était devenue si importante, si vivante.

George se rendit compte, enfin, que l'un des souhaits d'Hana s'était bel et bien accompli : Hana était devenue institutrice. Grâce à elle – à sa valise et à son histoire –, des milliers d'enfants japonais

*Pendant son voyage au Japon, George Brady s'entretient
avec des enfants du Centre de l'Holocauste
et Fumiko tient une photo de la valise d'Hana.*

apprenaient aujourd'hui la tolérance, le respect et
la compassion, valeurs qui étaient parmi les plus
importantes du monde aux yeux de George. « Quel
cadeau m'ont fait Fumiko et ces enfants ! songeait-
il. Et quel honneur ils ont rendu à Hana ! »

Fumiko invita les enfants à s'asseoir en cercle.
Elle rayonnait de fierté quand, à tour de rôle, ils
venaient présenter à George leurs dessins et leurs
poèmes. Lorsqu'ils eurent terminé, Maiko se leva,
prit une profonde inspiration et lut à haute voix le
poème suivant :

Cette valise appartenait à Hana Brady, qui avait treize ans.

Il y a cinquante-cinq ans, le 18 mai 1942, deux jours après son onzième anniversaire, Hana fut conduite à Terezin, en Tchécoslovaquie.

Le 23 octobre 1944, entassée dans un train de marchandises, elle fut déportée à Auschwitz.

Sitôt là-bas, elle fut menée à la chambre à gaz.

Les gens n'avaient droit qu'à une seule valise.

Je me demande ce qu'Hana avait mis dans la sienne.

Hana aurait soixante-neuf ans, aujourd'hui, mais sa vie s'est arrêtée quand elle en avait treize.

Je me demande quel genre de fille elle était.

Elle a fait quelques dessins à Terezin – les seules choses qu'elle nous ait laissées.

De quoi nous parlent ces dessins?

De souvenirs heureux de sa famille?

De rêves et d'espoir pour l'avenir?

Pourquoi a-t-elle été tuée?

Il y avait une raison.

Elle était née juive.

Son nom: Hana Brady.

Sa date de naissance: 16 mai 1931.

Orpheline.

Nous, les Petites Ailes, raconterons à chaque enfant du Japon ce qui est arrivé à Hana.

Pendant que Maiko (à gauche) lit son poème,
les membres des Petites Ailes brandissent des écriteaux
qui proclament : « Apprenons, pensons et agissons
[pour créer la paix] au XXIᵉ siècle. »

Nous, les Petites Ailes, n'oublierons jamais
ce qui est arrivé à un million et demi d'en-
fants juifs.
Nous, les enfants, pouvons jouer un rôle actif
en construisant la paix dans le monde – afin
que plus jamais ne se reproduise l'Holocauste.

Signé : les Petites Ailes, décembre 2000, Tokyo, Japon.

Traduit du japonais en anglais par Fumiko Ishioka.

Postface

La valise d'Hana poursuit son périple. Après avoir passé quelque temps avec les enfants du Centre de l'Holocauste de Tokyo, George et Lara Brady, en compagnie de Fumiko Ishioka et de Maiko Kurihara, responsable des Petites Ailes, se sont rendus à Hiroshima pour partager l'histoire

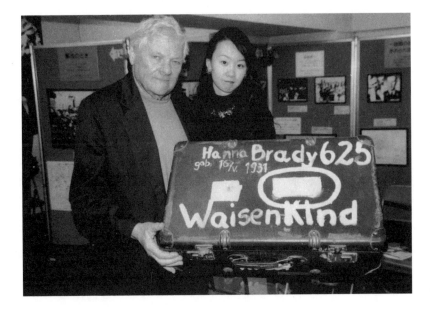

d'Hana avec des élèves et des enseignants de cette ville.

En mai 2002, l'exposition *L'Holocauste vu à travers les yeux des enfants* avait d'ores et déjà voyagé dans plus de cinquante localités du Japon, et plus de 52 000 enfants l'avaient visitée.

Remerciements

Mes remerciements s'adressent d'abord et avant tout à George Brady et à Fumiko Ishioka. Ce livre raconte leur histoire : l'un comme l'autre, avec un dévouement et une générosité remarquables, ont aidé à sa réalisation. Ce sont des personnes très tenaces, remplies de compassion, mues par le désir de rendre le monde meilleur, de faire connaître Hana Brady et d'honorer sa mémoire. Je les salue !

La première fois que j'ai entendu parler de la valise d'Hana, en lisant un article signé Paul Lungen paru dans *Canadian Jewish News,* mon cœur n'a fait qu'un bond. Cette histoire m'a tellement touchée que j'ai décidé de sortir de l'ombre pour produire mon premier documentaire radio en douze ans. Intitulé *Hana's Suitcase,* ce documentaire a été présenté en janvier 2001 dans le cadre de l'émission *The Sunday Edition,* sur les ondes de CBC Radio One.

Le premier coup de téléphone que j'ai reçu, après la diffusion, m'est venu d'une Margie Wolfe en larmes, qui déclara tout de go que je devais écrire ce livre. Margie fait partie de ces gens que j'aime par-dessus tout – c'est une amie à la loyauté féroce, mais aussi une femme très drôle, exubérante et bourrée de talents, dont je peux maintenant dire en feignant l'indifférence qu'elle est mon éditrice.

À l'étape de la révision, Margie et Sarah Swartz ajoutèrent une touche de clarté et de délicatesse au texte. Jeffrey Canton, ainsi que les femmes de Second Story Press, Carolyn Foster et Laura McCurdy, apportèrent aussi leur importante contribution. Reynold Gonsalves sait que, sans sa patience et son talent dans le studio de radio et à l'ordinateur, ma vie serait beaucoup plus compliquée qu'elle ne l'est déjà. Je remercie aussi Carmelita Tenerife pour ses attentions indéfectibles et Teresa Brady pour sa gentillesse.

Tout au long de ce projet d'écriture, j'ai pu compter sur un fantastique cercle d'amies : Susanne Boyce, Cate Cochran, Joy Crysdale, Brooke Forbes, Francine Pelletier, Geraldine Sherman et Talin Vartanian. Elles se sont employées à me remonter le moral, à me servir de gardiennes d'enfant et à me soutenir contre vents et marées. Je veux remercier tout particulièrement Madeline Cochran, neuf ans, une des premières lectrices du manuscrit. Elle m'a fait des suggestions formidables (et sa maman aussi) !

Aucune fille ne pourrait espérer plus de soutien et de stimulation de la part de ses parents. Ma mère Helen et mon père Gil m'ont appris (parmi bien d'autres choses) à rendre hommage à la ténacité humaine, à approfondir le passé et à lutter pour un avenir meilleur. Et ils m'ont donné une grande sœur merveilleuse, Ruthie Tamara, qui m'a encouragée de toutes les façons.

Michael Enright – mon bien-aimé et mon compagnon de vie – avait perçu bien avant moi ma capacité d'écrire un livre, et jamais il ne manquait une occasion de me le dire. Sa confiance en moi ainsi que son enthousiasme à l'état brut pour ce projet me terrifiaient et m'excitaient tout à la fois. À chaque étape, il m'a donné la nourriture à laquelle j'aspirais, les coups d'aiguillon dont j'avais besoin et l'espace vital pour travailler, ce dont je lui suis vraiment reconnaissante. Merci aussi à la progéniture Enright – Daniel, Anthony et Nancy – pour sa loyauté.

À six ans, mon fils, Gabriel Zev Enright Levine, est encore trop jeune pour connaître l'histoire d'Hana. Mais je la lui lirai quand il sera plus vieux. Et je souhaite qu'il soit tout aussi conquis par Hana, George et Fumiko que je l'ai été moi-même. J'espère également que ce récit lui apprendra l'importance de l'Histoire et lui fera comprendre que malgré le mal le plus indicible, il existe des gens de cœur qui, par leurs actions généreuses, peuvent changer le cours des choses.

Mot de la traductrice

J'étais une adolescente révoltée. Je criais à l'injustice, je protestais, je dénonçais, j'écrivais des essais vitrioliques. Je ne comprenais pas les hommes. Je ne comprenais pas, tout court.

Puis j'ai compris qu'on ne pouvait pas tout changer et j'ai poursuivi mon chemin en me fixant des buts. J'ai eu ma part d'échecs et de réussites. Mais il arrive que des bouffées de mon adolescence exaltée remontent à la surface et que je retrouve, intacte, mon âme de pamphlétaire.

Cela s'est produit pendant la traduction de cet ouvrage bouleversant. Je me suis identifiée à Fumiko Ishioka, jeune femme formidable qui n'a reculé devant aucun effort pour dénouer l'incroyable écheveau de ce mystère. Et puis, au fur et à mesure que l'énigme se dissipait, je devenais Hana, fillette si attachante, dont je partageais les rêves et les désillusions. Je me suis révoltée sur son destin inacceptable.

Je ne comprends pas les hommes. Je ne comprends pas, tout court.

Table des matières